nuovo

PROGETTO ITALIANO

1

Corso multimediale
di lingua e civiltà italiana

livello elementare

A1-A2 QUADRO EUROPEO
DI RIFERIMENTO

Glossary & grammar

Supplemento per studenti anglofoni

© Copyright edizioni Edilingua
Via Paolo Emilio, 28 00192 Roma

Via Moroianni, 65 12133 Atene
Tel. +30 210 57.33.900
Fax: +30 210 57.58.903
www.edilingua.it
info@edilingua.it

I edizione: dicembre 2006
a cura di: Tina Geraldi
Impaginazione e progetto grafico: Edilingua
ISBN: 978-960-6632-62-4

CONTENTS

Dear student,

The book you are holding in your hands is a *supplemento*, that is a supplement to the basic coursebook. It aims at helping you and your teacher save valuable lesson time. It comprises the following features:

- The translation of all the words and expressions in the coursebook (*Libro dello studente*), as well as those in the workbook (*Quaderno degli esercizi*). As you will observe, the meaning of each word is first given in context, often followed by a couple of its most frequent uses.
- Grammar presentation which aims at explaining simply and briefly all the grammatical points of each unit.
- A glossary in alphabetical order, with reference to the unit, the book and the section where every word appears.

Nuovo Progetto italiano 1 is a "vivid" and pleasant book with texts and dialogues in modern Italian. This is precisely one of the reasons for its huge worldwide success. As you will see, each unit presents a variety of new words, which makes this supplement even more useful. Needless to say, you do not need to memorize all this vocabulary. Your teacher knows exactly how many and which words you need to study each time.

Besides, it is important to understand a text (written or oral) even when it contains unknown words, because very simply, this will always be the case: you should be able to "de-code" each new unit from context. The development of this skill is one of *Nuovo Progetto italiano 1*'s primary targets. Therefore you should not worry or feel insecure each time you come upon a new word: nobody expects you to know them all.

Note: It is advisable not to use the *supplemento* in order to "prepare" the vocabulary of the next unit, as this would destroy its teaching value and cause you to lose interest in it.

In conclusion, the *supplemento* does not wish to replace a good dictionary, which you will definitely need more and more, as you "explore" the Italian language and culture.

Have fun…

The words, in separate units, are listed as they appear, with clear reference to the volume and the section. When a word is not stressed on the penultimate syllable, or when the stress is not clear, the stressed vowel is underlined (i.e.: di_a_logo, farma_ci_a). Words preceded by * belong to audiotexts, not printed texts. Next to each word or expression you will have space to write its translation in your own language.

Abbreviations

avv.	avverbio	adverb
f.	femminile	feminine
m.	maschile	masculine
sg.	singolare	singular
pl.	plurale	plural
inf.	infinito	infinitive
p.p.	passato pr_o_ssimo	present perfect
imp.	imperativo	imperative
Am.	inglese americano	American English
lett.	letteralmente	literary

UNITÀ INTRODUTTIVA *Benvenuti!*

LIBRO DELLO STUDENTE

unità, *l'* (*f.*): unit
introduttiva: introductory
benvenuti (*sg.* benvenuto): welcome

A

parole, *le* (*sg.* la parola): words
e: and
lettere, *le* (*sg.* la lettera): letters

A1

osservate le foto: look at these pictures
osservate (*inf.* osservare): look (*imp. pl.*)
foto, *le* (*sg.* la foto): pictures, photographs
cos'è l'Italia per voi?: what is Italy for you?
cosa: what
è (*inf.* _e_ssere): is
Italia, *l'*: Italy
per: for
voi: you

A2

lavorate in coppia: work in pairs
lavorate (*inf.* lavorare): work (*imp.*)
in: in
coppia, *la*: pair
abbinate (*inf.* abbinare): combine
numerate (*sg.* numerata): numbered
a queste parole: to these words
a: to
queste (*sg.* questa): these

m_u_sica, *la*: music
spaghetti, *gli*: spaghetti
espresso, *l'*: espresso
cappuccino, *il*: cappuccino
_o_pera, *l'*: opera
arte, *l'* (*f.*): art
moda, *la*: fashion
cinema, *il* (*pl.* i cinema): cinema
conoscete (*inf.* con_o_scere): do you know…?
altre (*sg.* altra): other
italiane (*sg.* italiana): Italian (*f. pl.*)

A3

le lettere dell'alfabeto: the letters of the alphabet
alfabeto, *l'*: alphabet
ascoltate (*inf.* ascoltare): listen (*imp. pl.*)
lunga: long (*f. sg.*)
doppia: double (*f. sg.*)
greca (*pl.* greche): Greek
in parole di or_i_gine straniera: in words of foreign origin
di: of
or_i_gine, *l'* (*f.*): origin
stran_i_era: foreign

A4

pronunciate (*inf.* pronunciare): pronounce (*imp. pl.*)
lettera per lettera: letter by letter
dell'attività 2: of the activity 2
attività, *l'*: activity

A5

pronuncia, *la*: pronunciation
ripetete (*inf.* ripetere): repeat (*imp. pl.*)
casa, *la*: home, or house
ascoltare: to listen
cosa, *la*: thing
cucina, *la*: kitchen
scuola, *la*: school
gatto, *il*: cat
regalo, *il*: present
dialogo, *il* (*pl.* i dialoghi): dialogue
singolare: singular
gusto, *il*: taste
lingua, *la*: language, or tongue
ciao: hi!
cena, *la*: dinner
luce, *la*: light
pagina, *la*: page
giusto: right, correct
gelato, *il*: icecream
Argentina, *l'*: Argentina
chiavi, *le* (*sg.* la chiave): keys
macchina, *la*: car
maschera, *la*: mask
pacchetto, *il*: packet
Inghilterra, *l'*: England
colleghi, *i* (*sg.* il collega): colleagues
margherita, *la*: daisy
Ungheria, *l'*: Hungary

A6

scrivete (*inf.* scrivere): write (*imp. pl.*)
***buongiorno**: good morning
***facile**: easy
***americani** (*sg.* americano): Americans
***chi**: who
***Genova**: Genoa
***amici**, *gli* (*sg.* l'amico): friends
***centro**, *il*: centre/center (*Am.*)
***corso**: course
***pagare**: to pay

B

italiana o italiano?: Italian (*f.*) or Italian (*m.*)?
o: or

B1

immagini, *le* (*sg.* l'immagine): images
notate (*inf.* notare): (what do you) notice?

B2

scoprite l'errore: find the mistake
scoprite (*inf.* scoprire): find (*imp. pl.*)
errore, *l'* (*m.*): mistake
giornale, *il*: newspaper

B3

quali sono le desinenze: what are the endings?
quali (*sg.* quale): what
sono (*inf.* essere): they are
desinenze, *le* (*sg.* la desinenza): endings
ultima: last (*f.*)
del singolare: of the singular
plurale: plural
sostantivi, *i* (*sg.* il sostantivo): nouns
maschile: masculine
libro, *il*: book
studente, *lo*: student
femminile: feminine
borsa, *la*: hand bag
classe, *la*: class
alcuni: some (*pl.*)
irregolari (*sg.* irregolare): irregular
particolari (*sg.* particolare): particular
come: as
sport, *lo* (*pl.* gli sport): sport
appendice, *l'* (*f.*): appendix
a pagina...: on page...

B4

mettete i sostantivi al plurale: put these nouns
into plural
mettete (*inf.* mettere): put (*imp. pl.*)
finestra, *la*: window
libreria, *la*: bookcase
pesce, *il*: fish
notte, *la*: night
albero, *l'*: tree
treno, *il*: train

B5

ragazzo, *il*: boy
alto: tall (*m. sg.*)
rossa: red (*f. sg.*)
aperta: open (*f. sg.*)
nuova: new (*f. sg.*)
gli aggettivi in -o: the adjectives ending in -o
aggettivi, *gli*: adjectives
seguono (*inf.* seguire): they follow

le stesse regole: the same rules
stesse (*sg.* stessa): same (*f. pl.*)
regole, *le* (*sg.* la regola): rules
ragazza, *la*: girl

C

ciao, io sono Gianna: hi! My name is Gianna
io: I
sono (*inf.* essere): I am

C1

due: two
mini dialoghi: short dialogues
a quale foto corrisponde ogni dialogo?: which photo corresponds to each dialogue?
corrisponde (*inf.* corrispondere): it corresponds
ogni: every

C2

di nuovo: again
completate (*inf.* completare): complete (*imp. pl.*)
questi sono: these are
questi (*sg.* questo): these (*m. pl.*)
siete (*inf.* essere): you are (*pl.*)
lui: he
australiano: Australian
***piacere**: nice to meet you
sei (*inf.* essere): you are (*sg.*)
spagnola: Spanish (*f. sg.*)
sì: yes
e tu?: and you?
tu: you

C3

leggete (*inf.* leggere): read (*imp. pl.*)
tabella, *la*: table
verbo, *il*: verb
essere: to be
lei: she
noi: we
loro: they

C4

disegni, *i* (*sg.* il disegno): pictures, drawings
oralmente (*avv.*): orally
costruite (*inf.* costruire): make (*imp. pl.*)
delle frasi: some sentences
frasi, *le* (*sg.* la frase): sentences
come nell'esempio: according to the model
esempio, *l'* (*pl.* gli esempi): model (example)
brasiliana: Brasilian (*f. sg.*)

marocchino: Morroccan (*m. sg.*)
argentini (*sg.* argentino): Argentinian (*m. pl.*)

C5

ungherese (*m./f.*): Hungarian
inglese (*m./f.*): English

C6

adesso: (*avv.*): now
presentate (*inf.* presentare): introduce (*imp. pl.*)
il vostro compagno alla classe: your classmate to the class
vostro: your
compagno, *il*: classmate

C7

sorella, *la*: sister
uscita, *l'*: exit
ma: but
schema, *lo*: scheme

C8

***museo**, *il*: museum
***scendere**: to get down
***isola**, *l'*: island
***vestito**, *il*: dress
***uscire**: to go out

D1

frasi ascoltate: heard sentences
ascoltate: heard (*f. pl.*)
attenzione, *l'*: attention
ci sono due immagini in più: there are two extra pictures (not related to the text)
ci sono (*inf.* esserci): there are
in più: extra, more

D2

completate le frasi che seguono: complete the following sentences
che: that
articolo determinativo: definite article
articolo, *l'*: article
determinativo: definite
zio, *lo* (*pl.* gli zii): uncle
la macchina di Paolo: Paolo's car
ecco (*avv.*): here (it) is
studenti d'italiano: students of Italian
molti: many (*m. pl.*)
calcio, *il*: football/soccer (*Am.*)
preferisco (*inf.* preferire): I prefer
scusi: excuse me (*formal*)

è questo l'autobus per il centro?: is this the bus going to the town centre?
autobus, *l'* (*pl.* gli autobus): bus
per il centro: to the centre

D3

con gli articoli dati: with the given articles
con: with
dati: given
stivali, *gli* (*sg.* lo stivale): boots
zaino, *lo*: racksack
zia, *la*: aunt
panino, *il*: sandwich
aerei, *gli*: aeroplanes
numeri, *i*: numbers

D4

formate (*inf.* formare): form (*imp. pl.*)
nota: note
potete (*inf.* potere): you can (*pl.*)
l'ordine proposto: suggested order
ordine, *l'* (*m.*): order
proposto: suggested, proposed
combinazioni, *le*: combinations
bella: beautiful (*f. sg.*)
piccoli: small (*m. pl.*)
ristorante, *il*: restaurant
moderni: modern (*m. pl.*)
giovane (*m./f.*): young

D6

bagno, *il*: bath/bathroom
famiglia, *la*: family
globale (*m./f.*): global
zero, *lo*: zero
azione, *l'*: action
canzone, *la*: song
mezzo: half, means
azzurro: blue
pezzo, *il*: piece
pizza, *la*: pizza

D7

*cognome, *il*: surname
*meglio (*avv.*): better
*Svizzera, *la*: Switzerland
*esercizio: exercise
*maggio: May
*vacanze, *le*: holidays
*luglio: July

E

chi è?: who is...?

E2

verificare: to check
risposte, *le*: answers
si chiama (*inf.* chiamarsi): her name is
che bella ragazza!: what a beautiful girl!
che: what, that
tesoro: honey, darling
hai (*inf.* avere): you have (*sg.*)
le chiavi di casa: house keys
no: no
ho (*inf.* avere): I have
le chiavi della macchina: the car keys
dove: where
sai (*inf.* sapere): you know (*sg.*)
ha (*inf.* avere): she has
fratelli, *i*: brothers
davvero (*avv.*): really
quanti anni hanno?: how old are they?
quanti: how many
anni, *gli*: years
hanno (*inf.* avere): they have
mi chiamo (*inf.* chiamarsi): my mane is

E3

avere: to have

E6

chiedi (*inf.* chiedere): ask (*imp.*)
tuo: your (*m. sg.*)
rispondi alle domande: answer the questions
rispondi (*inf.* rispondere): answer (*imp.*)
domande, *le*: questions
come si scrive: how do you spell?
come: how
suo: his/her (*m. sg.*)
nome, *il*: name
alla fine: at the end
fine, *la*: end
riferisce (*inf.* riferire): he/she refers

E7

consonanti, *le* (*sg.* la consonante): consonants
caffè, *il* (*pl.* i caffè): coffee
difficile: difficult (*sg.*)
oggetto, *l'*: object
giallo: yellow
mamma, *la*: mum

nonna, *la*: grandmother
gonna, *la*: skirt
terra, *la*: earth, soil
corretto: correct
settimana, *la*: week

E8

*****note**, *le*: notes
*****penna**, *la*: pen
*****mano**, *la* (*pl.* le mani): hand
*****stella**, *la*: star
*****bicchiere**, *il*: glass
*****latte**, *il*: milk
*****doccia**, *la*: shower
*****torre**, *la*: tower
*****bottiglia**, *la*: bottle
*****pioggia**, *la*: rain
test finale: final test
test, *il* (*sg.* i test): test
finale: final

Appendice grammaticale

grammaticale: grammar-, grammatical
abitudine, *l'* (*f.*): habit
ecc. (eccetera): etc.
attore, *l'* (*m.*): actor
sapore, *il*: taste
problema, *il*: problem
tema, *il*: theme, subject, topic
programma, *il*: program, programme
clima, *il*: climate, weather
telegramma, *il*: telegram
panorama, *il*: landscape
turista, *il//la*: tourist
barista, *il//la*: bartender, barman
tassista, *il//la*: taxi driver
pessimista, *il//la*: pessimist, negative
regista, *il//la*: film director
crisi, *la*: crisis
analisi, *l'* (*f.*): analysis
tesi, *la*: thesis
sintesi, *la*: synthesis, summary
perifrasi, *la*: periphrasis
enfasi, *l'* (*f.*): enphasis, stress
ipotesi, *l'* (*f.*): hypothesis, assumption
amaro: bitter
re, *il*: king
film, *il*: film, movie

città, *la*: city
università, *l'* (*f.*): university
virtù, *la*: virtue
auto, *l'* (*f.*): car
moto, *la*: motorbike
serie, *la*: series
specie, *la*: species
fuoco, *il*: fire
albergo, *l'* (*m.*): hotel
accento, *l'* (*m.*): accent, stress
cade (*inf.* cadere): (it) falls
penultima: last but one, penultimate
sillaba, *la*: syllable
eccezioni, *le* (*sg.* l'eccezione): exceptions
greco, *il*: Greek
medico, *il*: doctor
psicologo, *lo*: psychologist
terzultima: third from the last (*f. sg.*)
incarico, *l'* (*m.*): task, assignment, job
obbligo, *l'* (*m.*): duty
forme, *le*: forms
chirurgo, *il*: surgeon
stomaco, *lo*: stomach
terminano (*inf.* terminare): they end
archeologo, *l'* (*m.*): archeologist
indicano (*inf.* indicare): they mean, point
persone, *le*: persons, individuals
usiamo (*inf.* usare): we use
cominciano (*inf.* cominciare): they begin
yogurt, *lo*: yogurt
gnomo, *lo*: gnome
pneumatico, *lo-il*: tyre, pneumatic

QUADERNO DEGLI ESERCIZI

quaderno: notepad
seguenti (*sg.* seguente): following
fermata, *la*: stop (*e.i.* bus stop, train station)
precedente: previous
strada, *la*: street, way
amore, *l'* (*m.*): love
francese (*m./f.*): French
Firenze: Florence
Napoli: Naples
Milano: Milan
Germania, *la*: Germany
professore, *il*: professor, high school teacher

porta, *la*: door
Francia, *la*: France
Belgio, *il*: Belgium
Spagna, *la*: Spain
Stati Uniti, *gli*: United States
giornata, *la*: daytime
campione, *il*: champion, speciemen
consultate (*inf.* consultare): consulted (*f. pl.*)
idea, *l'* (*f.*): idea
cane, *il*: dog
modello: model, example
mal di testa, *il*: headache

mal (male), *il*: ache
testa, *la*: head
hanno fame: they are hungry
fame, *la*: hunger
studentessa, *la*: student (*f.*)
Bari: Bari (*Italian city*)
di dove è?: where is he/she from?
Pisa: Pisa (*Italian city*)

Test finale

russo: Russian
austriaci (*sg.* austriaco): Austrian
scegliete (*inf.* scegliere): choose (*imp. pl.*)

PLURALE DEI SOSTANTIVI E DEGLI AGGETTIVI
PLURAL OF NOUNS AND ADJECTIVES

All the words in plural have the suffix **-i**, except:
a. feminine words ending in **-a** that change to **-e**: *la mamma - le mamme*.
b. feminine words ending in **-à** and **-ù** which are invariable in plural: *la città - le città, la virtù - le virtù*.
c. foreign words ending in a consonant: *lo sport - gli sport*.
d. monosyllabic words: *il re - i re*.
e. masculine words stressed on the final syllable: *il caffè - i caffè*.

GENDER DISTINCTION

The gender of a noun can be distinguished by either its endings or its meaning.

Masculine gender:
a. Words ending in **-o** apart from a few exceptions: *il bambino* (exceptions: *la mano, la moto, l'auto, la foto*).
b. Words referring to male beings: *il padre*.
c. Words ending in **-ma** adopted from words of greek origin: *il problema*.
d. Words ending in **-a**, **-ista** and stating a profession: *il poeta, il tassista*.
e. Words (usually of foreign origin) ending in a consonant: *lo sport, il bar*.
f. Words ending in **-i**: *il brindisi - i brindisi*.
g. Words ending in **-ale**, **-iere**, **-ore** are usually considered to be of masculine gender: *l'ospedale, il portiere, il dottore*.

Feminine gender:
a. Words ending in **-a**: *l'amica*.
b. Words referring to female beings: *la madre*.
c. Words ending in **-à** and **-ù**: *la città, la virtù*.
d. Words adopted from words of greek origin, ending in **-i**: *la crisi*.
e. Words ending in **-ice**, **-ione**, **-udine** are usually considered to be of feminine gender: *l'attrice, la lezione, l'abitudine*.
f. Words ending in **-ie** with invariable plural: *la serie - le serie* (exception: *la moglie - le mogli*).

L'ARTICOLO DETERMINATIVO
THE DEFINITE ARTICLE

In Italian there are two genders: masculine (*maschile*) and feminine (*femminile*).

Words of masculine gender:
Masculine words beginning with a consonant take the article **il** (plural **i**): *il libro - i libri*.
Masculine words beginning with a vowel take the article **l'** (plural **gli**): *l'amico - gli amici*.
Finally, the article **lo** (plural **gli**) is used before singular words beginning with:

z	*lo zio - gli zii*
s and another consonant: s + (b, c, …)	*lo sbaglio, lo scopo - gli sbagli, gli scopi*
ps	*lo psicologo - gli psicologi*
pn	*lo pneumatico - gli pneumatici*
y	*lo yogurt - gli yogurt*
gn	*lo gnomone - gli gnomoni*

Words of feminine gender:
Feminine words beginning with a consonant take the article **la** (plural **le**): *la borsa - le borse*.
Feminine words beginning with a vowel take the article **l'** (plural **le**): *l'amica - le amiche*.

UNITÀ 1 *Un nuovo inizio*

LIBRO DELLO STUDENTE
inizio: beginning
Per cominciare...
cominciare: to start
Per cominciare 1
spiegate (*inf.* spiegare): explain (*imp. pl.*)
nella vostra lingua: in your language
più importante: more important
più: more
importante: important
perché: why
un: a (*m.*)
lavoro: job, work
una: a (*f.*)
amore: love
Per cominciare 2
quali di queste parole: which ones of these words
capite (*inf.* capire): you understand (*pl.*)
notizia: news
direttore: director, manager
orario: timetable
gentile: kind
agenzia: agency
fortunata: lucky

Per cominciare 3
fanno parte di un dialogo: (they) are part of a dialogue
fanno parte di (*inf.* fare parte di): they are part of
fanno (*inf.* fare): they do, they make
parte, *la*: part
fra due ragazze: between two young women
fra: between, among
secondo voi: according to you, in your opinion
secondo: according
di quale inizio parlano: what beginning are they talking about?
parlano (*inf.* parlare): they talk, they are talking
A
e dove lavori adesso?: and where do you work now?
A1
volte: times (*e.i. una volta*: once; *due volte*: twice; *tre volte*: three times…)
indicate (*inf.* indicare): tick (*imp. pl.*)
se le affermazioni sono vere o false: if the statements are true or false
se: if
affermazioni: statements
vere: true

false: false
telefona a Maria: he/she telephones Maria
telefona (*inf.* telefonare): he/she telephones
ogni giorno: every day
giorno: day
non ha: she has not
non: not
ancora (*avv.*): still
in una farmacia: in a pharmacy
farmacia: pharmacy
tornare: to go back
a casa: home
prende (*inf.* prendere): she takes
metrò, *il*: underground
pronto?: hello
ehi, ciao!: hey, hi!
come stai?: how are you?
stai (*inf.* stare): you are (*sg.*)
bene, e tu?: well, and you?
bene (*avv.*): well
ma da quanto tempo!: it's a long time!
da: since, for
tempo: time
hai ragione: you are right
ragione: right
senti (*inf.* sentire): listen (*imp.*)
cioè (*avv.*): that is (to say)
non lavoro più: I don't work anymore
più (*avv.*): anymore
in un'agenzia di viaggi: in a travel agency
viaggi, *i* (*sg.* il viaggio): travels, trips
che bello!: how nice!, great!
contenta: pleased
molto (*avv.*): very
simpatici (*sg.* simpatico): nice
carino: lovely, nice
l'orario d'ufficio: working hours
ufficio, *l'*: office
apre alle 9: it opens at 9.00
apre (*inf.* aprire): it opens
chiude (*inf.* chiudere): it closes
a che ora arrivi?: what time do you arrive?
che: what
ora: time
arrivi (*inf.* arrivare): you arrive
finisco di lavorare: I finish work
finisco (*inf.* finire): I finish

dopo venti minuti: in (after) twenty minutes
dopo (*avv.*): after
minuti: minutes
brava: well done! Bravo!
sono contenta per te: I am pleased (happy) for you
te: you (object)

A2
assumete (*inf.* assumere): take, play (*imp. pl.*)
ruoli: roles, parts

A3
qual è: which is
è contenta del nuovo lavoro: she is pleased with her new job

A4
com'è?: how is it?
tutto bene: everything's fine
tutto: everything
poi (*avv.*): then, after, afterwards
vicino (*avv.*): near, close
mah: hum
20 minuti dopo: 20 minutes later

A5
inserite (*inf.* inserire): insert (*imp. pl.*)
accanto al pronome: next to, beside the pronoun
accanto (*avv.*): next to
pronome, *il*: pronoun
personale: personal

A6
presente indicativo: indicative present
presente, *il*: present tense
indicativo: indicative
1ª coniugazione: first conjugation
1ª (prima): first
coniugazione: conjugation
2ª (seconda): second
3ª (terza): third
dormire: to sleep
offrire: to offer
partire: to leave, to depart
spedire - *spedisco*: to send
unire - *unisco*: to join
pulire - *pulisco*: to clean
chiarire - *chiarisco*: to clarify

A7
secondo l'esempio: according to the model, example

secondo: according to
con chi parli?: who are you you talking to?
che tipo di musica ascolti?: what kind of music do you listen to?
tipo: kind, type, sort
quando: when
oggi (*avv.*): today
che cosa: what
guardano (*inf.* guardare): they look at, watch
televisione, *la*: television
cosa prendete da mangiare?: what would you like to eat?
mangiare: to eat
insegnante (*m./f.*): teacher, tutor
quando partite per Perugia?: when are you leaving for Perugia?
Perugia: Perugia (*Italian city*)
domani (*avv.*): tomorrow

B1

e-mail: e-mail
colonne: columns
c'è (*inf.* esserci): there is
a destra: on the right
destra: right
caro: dear
me: me
aspetto a cena: I am waiting for dinner
aspetto (*inf.* aspettare): I wait
amica: girlfriend, female friend
da tempo: for sometime
occhi, *gli* (*sg.* l'occhio): eyes
verdi (*sg.* verde): green
capelli: hair
biondi: blonde
purtroppo (*avv.*): unfortunately
porta (*inf.* portare): he/she brings, comes with
anche: also, as well
fidanzato: fiancé
Medicina: Medicine
una cosa non capisco: (there is) something I do not understand
studia (*inf.* studiare): he studies
uomo, *l'* (*pl.* gli uomini): man
come me: like me
già (*avv.*): already
Jennifer preferisce Saverio a Luca: Jennifer prefers Saverio to Luca

B2

testo: text
articolo indeterminativo: indefinite article
indeterminativo: indefinite
palazzo: building, palace
studentessa: student (*f.*)
edicola: newsagent, kiosk
diario: diary
giornata: daytime
di mio fratello: my brother's
mio: my
castani: brown (hair, eyes)
intelligente: intelligent, clever
Lettere: Literature
donna: woman
come tante: ordinary, common (*lett.* like everyelse)
tante: many (*f. pl.*)
speciale: special
forse (*avv.*): maybe, perhaps
solo (*avv.*): only

B3

sostituite (*inf.* sostituire - *sostituisco*): replace (*imp. pl*)
quello: that
stipendio: salary
basso: low
pesante: heavy
attore: actor
famoso: famous
viso: face
idea: idea
interessante: interesting
corso d'italiano: Italian course

B4

storia: story
tema, *il* (*pl.* i temi): theme, topic
partita, *la*: match

B5

grande: big

C

di dove sei?: where are you from?

C1

incontro: meeting
tra: between, among
protagonisti, *i* (*sg.* il protagonista): characters

precedenti (*sg.* precedente): previous
sottolineate (*inf.* sottolineare): underline (*imp.*)
espressioni, **le** (*sg.* l'espressione): expressions
usano (*inf.* usare): they use
informazioni, **le** (*sg.* l'informazione): information
scusa: excuse me (*informal*)
per andare in centro?: how do I go/get to the city centre?
andare: to go
fermate, **le**: bus stops
grazie: thank you
prego: my pleasure, you are welcome
sei straniera, vero?: you are a foreigner, aren't you?
sei qui per lavoro?: are you here on business?
qui (*avv.*): here
sono qui da due giorni: I have been here for two days
allora: then
ben arrivata: welcome
complimenti: congratulations
abiti qui vicino?: do you live nearby?
abiti (*inf.* abitare): you live
in via Verdi: on Verdi street
via: street
anch'io: so do I
a presto: see you soon
presto (*avv.*): soon

C3

ultima fermata: last stop
dare: to give
da quanto tempo sei qui?: how long have you been here?
francese: French
per motivi di lavoro: for business reasons, on business
motivi, *i*: reasons
al numero 3: at number three

D1

in comune: in common
comune: common

D2

*buonanotte: good night
*signor (signore, *il*): mister
*anche a Lei: and to you (*formal*)
*Lei: you (*formal*)

*signora, **la**: lady
*vai (*inf.* andare): you go
*vado (*inf.* andare): I go
*al supermercato: to the supermarket
*supermercato: supermarket
*come va?: how is it going?
*va (*inf.* andare): it goes
*così e così: so and so
*così (*avv.*): so
*buonasera: good evening
salutare: to greet, to salute
buon pomeriggio: good afternoon
buon (buono): good
pomeriggio, *il*: afternoon
informale: informal
salve!: hello!
ci vediamo: see you later
arrivederci: bye-bye (*informal*)
arrivederLa: good bye (*formal*)
formale: formal

D3

immaginate (*inf.* immaginare): imagine (*imp.*)
adatti: suitable
seguenti (*sg.* seguente): following
situazioni, **le** (*sg.* la situazione): circumstances
palestra: gym

D4

università, **l'** (*pl.* le università): university
mattina: morning
esci dalla biblioteca: get out of the library
esci (*inf.* uscire): you get out, leave
biblioteca, **la** (*pl.* le biblioteche): library
al bar: at the bar
bar: bar, café
verso le 18: around 6 p.m.
verso: around
serata: evening
in discoteca: in the disco
discoteca: disco
saluti: farewell, greetings

E1

sa (*inf.* sapere): you know (*formal*)
ha una pronuncia tutta italiana: you have (*formal*) a very Italian accent
se permette: if you let me, if I may
permette (*inf.* permettere): you allow (*formal*) me

svizzera: Swiss
in vacanza: on holiday
visito (*inf.* visitare): I visit
ecco perché: that's why
così bene: so well

E2

differenze: differences
in italiano: in Italian
possibile: possible, feasible
dare del tu: to address informally
persona: person, individual
oppure: otherwise
dare del Lei: to address formally
quest'ultima: this one
forma di cortesia: form of politeness
forma: form
cortesia: courtesy
esiste (*inf.* esistere): it exists
simile: similar

E3

cominciando (*inf.* cominciare): beginning
signorina, *la*: Miss
qualcuno: someone
tanto (*avv.*): very
continua (*inf.* continuare): continue (*imp.*)

F1

lungo: long
naso: nose

F2

mettete in ordine: put in order (*imp.*)
ascoltatelo: listen to it (*imp.*)
alla francese: French ... (*i.e.* nose)
quello di Gloria: the one that belongs to Gloria
abbastanza (*avv.*): quite, enough
magra: slim
simpatica (*pl.* simpatiche): nice

F3

mancano (*inf.* mancare): missing (*lett.* they miss)
aspetto: appearance
vecchio: old
brutto: ugly
corti: short
neri: black
carattere, *il*: character, attitude
sembra (*inf.* sembrare): he/she seems, looks like

antipatico (*pl.* antipatici): not nice
allegro: cheerful
triste: sad
scortese: unkind

F4

testa: head
fronte, *la*: forehead
bocca: mouth
braccio, *il* (*pl.* le braccia): arm
dito, *il* (*pl.* le dita): finger

F5

a turno: one at a time, in turns
turno: turn, shift
voi stessi: yourselves
stessi: selves
senza dire: without saying
senza: without
dire: to say
gli altri: the others
devono (*inf.* dovere): they must

F6

descrivi (*inf.* descrivere): describe (*imp.*)
miglior amico: best friend
miglior (migliore): best
età: age

Conosciamo l'Italia
L'Italia: regioni e città

regioni, *le* (*sg.* la regione): regions
città: city
cosa sapete di queste città?: what do you know about these cities?
sapete (*inf.* sapere): you know
cartina: street map
per esempio: for example

Autovalutazione

autovalutazione: self evaluation
ricordate delle unità: you remember from the units
ricordate (*inf.* ricordare): you remember
contrario: opposite
nascoste: hidden
controllate (*inf.* controllare): check (*imp.*)
soluzioni, *le*: solutions
soddisfatti: satisfied
fontana: fountain
Roma: Rome

QUADERNO DEGLI ESERCIZI

vivere: to live
lettera: letter
classica: classic
fumano (*inf.* fumare): they smoke
spesso (*avv.*): often
prima (*avv.*): before
poco (*avv.*): little
al telefono: on the telephone
telefono: telephone
tardi (*avv.*): late
tedesco: German
lezione: lesson, session, class
napoletana: Neapolitan
Intercity: Intercity
cerca (*inf.* cercare): look for (*imp.*)
nessuna: none
blu: blue
orologio: watch, clock
trasformate (*inf.* trasformare): transform (*imp.*)
giardino: garden
Parigi: Paris
canadese: Canadian

imparare: to learn
Australia: Australia
irlandesi, *gli* (*sg.* l'irlandese): Irish
giocatori, *i* (*sg.* il giocatore): players
africani: Africans
di solito: usually
ridere: to laugh
quasi (*avv.*): almost, quite
mai (*avv.*): never
piacere: to like
tutti: everybody, everything
modella: model (*f.*)

Test finale

villa: villa
di tutto: everything
bambini: children
niente: nothing
tè, *il*: tea
cambiare: to change
lontano: far
risolvete (*inf.* risolvere): solve (*imp.*)
cruciverba, *il* (*pl.* i cruciverba): crossword

PRESENTE INDICATIVO - SIMPLE PRESENT

In Italian the verbs are divided in three groups according to their ending and conjugations: **-are**, **-ere**, and **-ire**.
The inflexion of indicative expresses a definite fact.
Wherever the verb is intonated on the first singular person *io*, the rest of the persons *tu, lui, loro*, will also be intonated, except for *noi, voi* where the intonation falls a syllable *lavoro, lavori, lavora, lavorano*, but *lavoriamo, lavorate*.
Most of the verbs of the third conjugation (**-ire**) take in the first, second, third singular person and third plural person the character **-isc-** after the stem of the word and before the suffix, like *finire: finisco, finisci, finisce, finiscono* but *finiamo, finite*.

L'ARTICOLO INDETERMINATIVO - THE INDEFINITE ARTICLE

Words of masculine gender that take the definite article **il** and **l'**, take the indefinite **un**: *il libro - un libro, l'amico - un amico*.
Words of masculine gender that take the define article **lo**, take the indefinite **uno**: *lo zio - uno zio*.
Words of feminine gender that take the definite article **la** take the indefinite **una**: *la borsa - una borsa*.
Finally, the words of feminine gender that take the indefinite article **l'**, take the indefinite **un'**: *l'amica - un'amica*.

grammar

L'AGGETTIVO - THE ADJECTIVE

An adjective in Italian may have three different suffixes. So, we have adjectives ending in **-o** for those of masculine gender, adjectives ending in **-a** for those of feminine gender and finally adjectives ending in **-e** which referr to both masculine and feminine gender.

An adjective always agrees in gender and number with the noun. In syntax it usually follows the noun:
il cane nero - i cani neri.
la penna rossa - le penne rosse.
il ragazzo francese - i ragazzi francesi.
la ragazza francese - le ragazze francesi.

grammar

UNITÀ 2   *Come passi il tempo libero?*

LIBRO DELLO STUDENTE

passare: to spend, to pass
tempo libero: spare (free) time
libero: free

Per cominciare 1

amare: to love
nel tempo libero: in the spare time
al cinema: at the cinema
a teatro: at the theatre
teatro: theatre
giocare: to play (a game, a sport match)
videogiochi: videogames

Per cominciare 2

intervista: interview

Per cominciare 3

una prima volta: a first time
confermate le vostre ipotesi: check your comprehension (*non lett.*)
confermate (*inf.* confermare): to check, to verify
ipotesi, *l'* (*f.*): hypothesis

A

rivista: magazine
intervistare: to interview

A1

spesso (*avv.*): often
la sera: the evening
sera: evening
sportivo: sporty
fine settimana, *il*: week-end
a Roma: in Rome
sempre (*avv.*): always
all'estero: abroad

estero: abroad
al lago: to the lake
lago: lake
sappiamo tutto sulla tua carriera: we know everything about your career
sappiamo (*inf.* sapere): we know
su: on, about
carriera: career
poco della tua vita privata: little about your private life
poco (*avv.*): little
vita: life
privata: private
fai (*inf.* fare): you do, make
a dire la verità: to tell you the truth
verità, *la* (*pl.* le veirtà): truth
ma quando posso: but when I can
posso (*inf.* potere): I can
gioco a calcio: I play football/soccer (*Am.*)
come molti sanno: as most people know
sanno (*inf.* sapere): they know
gioco ancora nella nazionale cantanti: I am still on the national singing team
nazionale, *la*: national
cantanti, *i* (*sg.* il cantante): singers
inoltre (*avv.*): also
qualche volta: sometimes
qualche: some
gli amici più intimi: the most intimate friends
intimi: intimate
bere: to drink
qualcosa: something

invece (*avv.*): on the contrary, instead
non ho voglia di uscire: I don't feel like going out
avere voglia (di): to feel like, to fancy
voglia: wish, desire, will
sono gli amici che vengono da me: my friends
come to my place
vengono (*inf.* venire): they come
da me: to my place
un po': a little
tv, *la*: TV
natura: nature
vado al lago di Como: I go to the lake Como
Como: Como (*Italian city*)
dove ho una casa: where I have a house
viene (*inf.* venire): he/she comes
facciamo delle gite: we go on a trip
facciamo (*inf.* fare): we do, make, have
gite: trips
pescare: to fish
sono in tournée: I am on tour
tournée, *la*: tour
la settimana prossima: next week
prossima: next
in Francia: in France
Francia: France
Spagna: Spain
per due concerti: for two concerts
concerti: concerts
Parigi: Paris
Barcellona: Barcelona

A2

giornalista, *il/la*: journalist

A3

di solito: usually
restare: to stay
va sul lago: he goes to the lake

A4

venire: to come

A5

a quest'ora: at this time
stasera (*avv.*): tonight
ballare: to dance
stanchi (*sg.* stanco): tired
a scuola: a school
dall'aeroporto: from the airport
aeroporto: airport

A6

cercare: to look for, to search
vedere: to see
regolare: regular
particolarità: peculiarity

A7

fare colazione: to have breakfast
colazione: breakfast
questa volta: this time
i tuoi genitori: your parents
tuoi: your (*m. pl.*)
genitori, *i* (*sg.* il genitore): parents
lezione: lesson

B

vieni con noi?: are you coming with us?

B1

devo (*inf.* dovere): I must, I have to
ma dai!: come on!
oggi è venerdì: today is Friday
venerdì, *il*: Friday
non è che non voglio…: it is not that I don't
want…
voglio (*inf.* volere): I want
al mare: at the sea
mare, *il*: sea
volentieri (*avv.*): willingly, with pleasure
bel tempo: good weather
tempo: time, weather
in città: in town
pensiamo di andare: we are thinking of going
pensare: to think
vuoi venire?: would you like to come? (*lett.* do
you want…?)
vuoi (*inf.* volere): you want (*sg.*)
certo: of course, certainly
è da tempo che…: it is a long time that…
che ne dici di andare: what about going
ne: of/about it, of/about them
Scala, *la*: Scala (Opera House)
biglietti: tickets
mi dispiace: I'm sorry
dispiacere: to be sorry
mia madre: my mother
madre, *la*: mother

B2

punto: point, passage, paragraph

ottima: very good, excellent
ci andiamo?: should we go there?
ci: there
Venezia: Venice
invitare: to invite
accettare: to accept
invito: invitation
rifiutare: to refuse, to decline
con piacere!: I'd love to!
d'accordo!: agreed! OK!
perché no?: why not?

B3

mostra d'arte: art exhibition
mostra: exhibition
insieme (*avv.*): together
fare spese: to go shopping
spese: shopping

C1

entrare: to get in, to enter
puoi (*inf.* potere): you can, are able to, may
sbagliare: to make mistake
colore: colour
vincere: to win
tutto quello che...: everything (that)…

C2

verbi modali: modal verbs
potere: to can, to may, to be able to
infinito: infinitive
momento: moment
professore: teacher, professor
per favore: please
favore: favour
prego: my pleasure, you are welcome
volere: to want
a pranzo: at lunch, for lunch
pranzo: lunch
fare tardi: to get late
tardi (*avv.*): late
dovere: must, to have to
a letto: to bed
letto: bed
per l'ospedale: for the hospital
ospedale, l' (*m.*): hospital
girare: to turn
sinistra: left
Stati Uniti, *gli*: United States

C3

sabato mattina: Saturday morning
sabato: Saturday
in montagna: in the mountains
montagna: mountain
superare: to pass, to overtake
esame, l' (*m.*): exam

D

dove abiti?: where do you live?

D1

organizzare: to organise/organize (*Am.*)
festa: party
a casa mia: in my place, in my house
solo che...: but, it's only that…
in periferia: in a suburban district
periferia: suburb
vicino allo stadio: near the stadium
stadio: stadium
in autobus: by bus
appartamento: apartment/flat (*Am.*)
al quinto piano: on the fifth floor
quinto: fifth
piano: floor
ascensore: lift/elevator (*Am.*)
sperare: to hope
comodo: comfortable
luminoso: bright
balcone, il: balcony
camera da letto: bedroom
camera: room
e pensare che...: if I think that…
400 euro d'affitto: a rent of 400 Euros
euro, l' (*pl.* gli euro): Euro
affitto: rent
al mese: per month
mese, il: month
ne vale la pena: it's worthwhile
valere: to be worthwhile
pena: worthwhile

D2

stanze: rooms
soggiorno: living room
salotto: sitting room
studio: studio
ripostiglio: storage room

D3

descrizione: description
ideale: ideal
a quale piano è: on which floor is it

D4

numeri cardinali: cardinal numbers
numeri ordinali: ordinal numbers
dall'11 in poi: from 11 onwards

E1

preposizioni: prepositions
banca: bank
Londra: London
a una festa: to a party
a piedi: on foot, walking
Germania: Germany
Pisa: Pisa
Siena: Siena
Napoli: Naples
da solo: on my own
Torino: Turin
Ancona: Ancona
ottobre, *l'* (*m.*): October

E2

da dove viene Lucio?: where does Lucio come from?

F1

che giorno è?: what's the date today?
segnare: to jot down
sull'agenda: on the diary
agenda: diary
impegni: engagements, commitments
lunedì, *il*: Monday
martedì, *il*: Tuesday
mercoledì, *il*: Wednesday
giovedì, *il*: Thursday
venerdì, *il*: Friday
sabato, *il*: Saturday
domenica, *la*: Sunday
spesa: shopping
appuntamento: meeting, appointment
*uno di questi giorni: one of these days
*impossibile: impossible
*ho molto da fare: I am very busy, I have lots to do
*il martedì: on Tuesdays
*ho lezione: I have class

*compleanno: birthday
*o domenica o mai: either on Sunday or never
*mai (*avv.*): never
*serie: serious

F2

vari (*sg.* vario): different

G1

che ora è?: what time is it?
che ore sono?: what time is it?
orologi, *gli* (*sg.* l'orologio): watches
e un quarto: a quarter past...
meno: minus
mezzogiorno: midday, noon
mezzanotte: midnight
meno un quarto: a quarter to...

G2

disegnare: to draw, to sketch
lancette: hour hand, minute hand

G3

formulare: to form, to formulate
modello: model, example

Conosciamo l'Italia
I mezzi di trasporto urbano

mezzi di trasporto urbano: city public transport
mezzi: means
trasporto: transport
urbano: city-, town-, urban

1

esatte: correct, right
usati: common (*lett.* used)
tram: tram/streetcar (*Am.*)
mentre: while
Milano: Milan
comprare: to buy
tabaccheria: tobacconist's shop
più di un mezzo: more than one means (of transport)
stazioni: stations
metropolitana: underground
macchinette: machines
automatiche: automatic
acquisto: purchase
in genere: generally
passeggeri, *i* (*sg.* il passeggero): passengers
convalidare: to validate (a ticket)
timbrare: to print

corsa: trip, run
convalida: ticket validation
si trovano (*inf.* trovarsi): they are placed, located
poche: few
su internet: on internet
prima di salire: before boarding
prima (*avv.*): before
salire: to get into
appena (*avv.*): as soon as

2

linea: linea

3

veramente (*avv.*): really, truly
esistenti (*sg.* esistente): presented (in the text)
auto, *l'* (*pl.* le auto): car
mezzi pubblici: public transport
pubblici: public
quindi (*avv.*): therefore
traffico: traffic
problema: problem
grave: serious
a causa delle tante macchine: because of so many cars
causa: cause
atmosfera: atmosphere, air
pulita: clean
trovare: to find
parcheggio: parking, parking area
per fortuna: luckily
fortuna: luck
sempre più persone: always more people
persone, *le*: people, individuals
motorino: scooter
bicicletta: bicycle
infine (*avv.*): also, and finally
taxi, *il*: taxi
tassì, *il*: taxi
ovviamente (*avv.*): obviously, clearly
costoso: expensive
in campagna: in the countryside
campagna: countryside
servizi: services

4

paese, *il*: country
gente, *la*: people
costare: to cost

5

lettera: letter
raccontare: to tell

Glossario

glossario: glossary
negozio: shop
vendere: to sell
tabacchi: tobacconist
di uso quotidiano: of daily use
uso: use
quotidiano: daily
viaggiare: to travel
luogo: place
lasciare: to leave

Autovalutazione

abitazione: dwelling residence (house, flat, etc.)
orizzontale: horizontal
verticale: vertical
ponte, *il*: bridge
Firenze: Florence

Appendice grammaticale

morire: to die
piacere: to like
porre: to put
rimanere: to stay
scegliere: to choose
sedere: to sit
spegnere: to switch off
tenere: to keep
tradurre: to translate
trarre: to pull (out)
proporre: to propose
esporre: to expose, to display, to show
togliere: to take off, to remove
cogliere: to pick, to grasp
raccogliere: to collect, to gather, to pick up
mantenere: to maintain
ritenere: to believe, to think
produrre: to produce
ridurre: to reduce
distrarre: to distract
attrarre: to attract

QUADERNO DEGLI ESERCIZI

insieme a: with (*lett.* together with)
caldo: hot

cerco di imparare: I try to learn
di più: more
a stasera: see you tonight
profumo: perfume, smell
nessun problema: no problem
tutta un'altra musica: another story
dopodomani (*avv.*): the day after tomorrow
il giorno dopo: the day after

Test finale

incontrare: to meet
definizioni: definitions

necessario: necessary

1° test di ricapitolazione
(unità introduttiva, 1 e 2)

ricapitolazione: summary, summing up
iniziare: to begin, to start
storia dell'arte: History
subito (*avv.*): immediately
finalmente (*avv.*): eventually
cenare: to have dinner
vino: wine
birra: beer

grammar

IRREGULAR VERBS OF THE SIMPLE PRESENT

The verbs **andare**, **dare**, **sapere**, **stare**, **fare** in the third plural person are spelt with double **n**.
The present tense of some verbs (**bere**, **dire**, **fare**) is formed with the stem of their latin infinitive which is **bevere**, **dicere**, **facere**.
In some irregular verbs a **g** is added after the stem of the verb and before the suffix in the first singular person and in the third plural persons. These are: **rimanere**, **spegnere**, **venire**, **tenere**, **salire** etc.
When the modal verbs **potere**, **volere**, **dovere** are followed by a verb, this is always in the infinitive form. Between the modals and the infinitive there is no preposition: *Posso venire*, *Voglio vedere*, *Devo partire*.

PREPOSIZIONI - PREPOSITIONS

In Italian there are the following prepositions: **da**, **di**, **a**, **in**, **su**, **con**, **tra/fra**, **per**.
It would be a mistake to translate each preposition as a single word, because every time the translation is different, according to the use of each word.
We are going to give the most common uses of each preposition.

DA - states:

origin or descent. In this case, it accompanies verbs such as *arrivare*, *venire*:
Veniamo da Monaco.
Arrivo da Patrasso.
motion from or to a place:
Lui è partito da Roma.
Vado dal medico.
use, in everything that is used as an object:
occhiali da sole, *camera da letto*.
time (i.e. since sth. has happened):
Vi aspetto da un'ora.
Studio l'italiano da tre mesi.

DI - states:

ownership (i.e. to whom an object belongs): *la macchina di Piero*.
origin: *Anna è di Firenze*.
content: *un bicchiere di latte*.
material: *un tavolo di legno*.
time: *di giorno*, *di notte*, *d'estate*.

A - states:

indirect object (i.e. to someone or something): *Regalo il libro a Maria, Telefono a..., Parlo a...* etc.
motion or state in a place (not with countries): *Vado a Milano, Sono a casa.*
time (i.e. we define with accuracy the time when an action is happening or happened): *A mezzogiorno vengo da te.*

IN - states:

in, inside, i.e. the inside part of a place (with this use the preposition also takes an article): *Le chiavi sono in questo cassetto.*
motion or state in a place (i.e. it shows us the place that someone is moving or, that is, found): *Vado in Italia, Vivo in Australia.*
a means of transport when ownership or time is not defined: *Parto in aereo, Vado in treno.*

SU - states:

position (on): *Il libro è sul tavolo.*
age approximately, in this case the preposition is articulated: *Una bambina sui 6 anni.*

CON - states:

together with someone: *Vado a teatro con Stefano.*
way of doing (i.e. how we are doing sth.): *Ascolto con attenzione.*

FRA (TRA) - states:

between: *Brindisi si trova fra Bari e Lecce.*
time (i.e. how long it will take us to do sth.): *Esco fra poco.*

PER - states:

direction, destination: *Il treno parte per Torino.*
purpose: *Vado in Italia per motivi di lavoro.*
time duration: *per tre anni.*

UNITÀ 3 *Scrivere e telefonare*

LIBRO DELLO STUDENTE
Per cominciare 1
posta elettronica: e-mail
posta: mail
elettronica: electronic
busta: envelope
posta: mail
francobollo: stamp
buca delle lettere: letter-box
cellulare, *il*: mobile phone/cell phone (*Am.*)
Per cominciare 2
comunicare: to communicate

Per cominciare 3
presenti (*sg.* presente): present
riuscire (a): to succeed, to manage
al telefono: on the phone
telefono: telephone
consigliare: to advise
sa già come fare: he already knows how to do
mandare: to send
pacco: parcel
A1
uffa: (*interjection meaning*) what a nuisance
chiamare: to call, to telephone

qua vicino: nearby
qua (*avv.*): here
proprio (*avv.*): just, right
appunto (*avv.*): exactly
perfetto: perfect
necessario: necessary
imbucare: to post
cassetta per le lettere: mail-box
almeno (*avv.*): at least
credere: to believe

A2
a coppie: in pairs

A4
preposizioni articolate: prepositions combined with the articles
lingua parlata: spoken language

A5
Olanda: the Netherlands
guanti: gloves
cassetto: drawer
di chi sono questi libri?: whose are these books?
tavolo: table

A6
preposizioni semplici: (simple) prepositions
semplici (*sg.* semplice): simple
chiesa: church
in particolare: in particular
Italia del Sud: Southern Italy
Sud, *il*: South
comunale: municipal
commerciale: commercial

A7
significato: meaning
in blu: written in blue
blu: blue
partitivo: partitive
un po' di: a little of
zucchero: sugar

B1
sicuro: sure
dalle tre alle cinque: from 3.00 to 5.00
fino alle 20: until 8.00 p.m.
fino: until, up to
esce di casa: he/she goes out, gets out
pranzare: to have lunch
cenare: to have dinner

orario di apertura: opening time
apertura: opening

B3
negozio di abbigliamento: clothes shop
abbigliamento: clothes, wear
ufficio postale: post office
postale: post-, postal

C1
abiti: clothes, dresses
dentro (*avv.*): inside
armadio: wardrobe
televisore: television
camino: fireplace
sedie: chairs
intorno al tavolo: around the table
intorno (*avv.*): around
dietro (*avv.*): behind
scrivania: desk
tavolino: table
davanti alla lampada: in front of the lamp
davanti (*avv.*): in front
lampada: lamp
sulla parete: on the wall
parete, *la*: wall
divano: sofa
tra le poltrone: between the armchairs
poltrone: armchairs
tappeto: rug
sotto (*avv.*): under
quadro: picture, painting
sopra (*avv.*): over
pianta: plant

C2
scegliere: to choose
a destra del: on the right handside of
specchio: mirror
cuscini: cushions

C3
è vero che: it is true that
sciopero: industrial action, strike
generale: general
dal meccanico: to mechanics the garage
meccanico: mechanic
in ritardo: late
ritardo: delay
lo so: I know

tremendo: dreadful, awful
troppe: too many

C4

vaso: vase

D1

qualcosa di interessante: something interesting
in tv: on TV
probabilmente (*avv.*): probably
su quale canale?: On which channel?
canale, *il*: channel
Juve, *la*: Juventus
Milan, *il*: Milan
beh: well
magari (*avv.*): perhaps
più tardi: later
partita di calcio: football match

D2

esprimere: to express
incertezza: uncertainty
dubbio: doubt

D3

esprimendo: expressing

E1

di chi è?: whose is it?

E2

possessivi: possessive (adjectives and pronouns)
resto: the rest
perciò: so, therefore
però: but, nevertheless

F1

fra 10 minuti: in 10 minutes
grazie mille: many thanks
una delle due valigie: one of the two suitcases
nessun problema: no problem
nessuno: none, nobody
figurati (*inf.* figurarsi): don't mention it (*informal*)
appunti: notes
grazie tante: thank you very much
di niente: my pleasure
niente: nothing

F2

ringraziare: to thank
ringraziamento: thanks
non c'è di che: don't mention it
ti ringrazio: I thank you

G

vocabolario: vocabulary
abilità: skill, ability
provate a completare: try to complete (*imp.*)
provare: try

G1

stagioni: seasons
autunno: autumn
inverno: winter
primavera: spring
estate, *l'* (*f.*): summer
gennaio: January
febbraio: February
marzo: March
aprile, *l'* (*m.*): April
maggio: May
giugno: June
luglio: July
agosto: August
settembre, *il*: September
ottobre, *l'* (*m.*): October
novembre, *il*: November
dicembre, *il*: December

G3

informazioni richieste: requested information
prezzo: price
modello: model, type
Lancia, *la*: *Lancia*
scoperta: discovery
America: America
abitanti, *gli* (*sg.* l'abitante): inhabitants
scooter, *lo*: scooter
Aprilia, *l'* (*f.*): *Aprilia*
nascita: birth
costo: cost
villa sul lago: villa on the lake
villa: villa
sognare: to dream

G4

ascolto: listening

G5

in breve: briefly
breve: brief
tue notizie: you news

Conosciamo l'Italia
Scrivere un'e-mail o una lettera (informale/amichevole)...

amichevole: friendly
carissimo: very expensive
baciare: to kiss
abbracciare: to embrace, to hug
baci: kisses
bacioni, i (*sg.* il bacione): big kisses
mittente, il: sender
destinatario: recipient
ricevere: to receive
sigla: abbreviation
provincia: province
meno (*avv.*): less
Bologna: Bologna (*Italian city*)
codice di avviamento postale, il: postcode, ZIP code
codice, il: code
abbreviazione: abbreviation
dottore: doctor
ingegnere: engineer
professoressa: professor, teacher
utili (*sg.* utile): useful
conseguenza: consequence
dunque: therefore
opposizione: opposition
comunque: however, whatever
al contrario: on the contrary
aggiunta: addition
non solo: not only
d'altra parte: on the other hand
concludere: to conclude
argomento: subject
riassumere: to summarise, to recap
in altri termini: in other words
termini, i (*sg.* il termine): terms
...e telefonare.
chiamata: call
interurbana: long-distance call
bisogna (*inf.* bisognare): you need, is necessary
digitare: to dial
prefisso: area code
desiderata: wanted (*lett.* wished)
e così via: and so on
via: away

generalmente: (*avv.*): generally
per non disturbare: to avoid disturbing
disturbare: to disturb
evitare: to avoid
dopo le 10: after 10.00
di sera: in the evening
percentuale, la: percentage
mondo: world
quasi (*avv.*): almost, nearly
tutti: all, every
telefonino: mobile phone
da vicino: closely
tecnologie: technologies
relative alle telecomunicazioni: related to telecommunications
relative: related to
telecomunicazioni: telecommunications
numeri utili: useful numbers
cittadini: citizens
turisti, i (*sg.* il turista): tourists
carabinieri, i (*sg.* il carabiniere): carabinieri
pronto: flying (*lett.* quick)
intervento: squad (*lett.* intervention)
gratuita: free (of charge)
emergenza: emergency
sanitaria: sanitary, health
informati: informed
viabilità: road conditions, traffic report
in tempo reale: in real time
reale: real
coordinato: co-ordinated
Ministeri: Ministries, Departments
Lavori Pubblici: Public Works
Interno: Interiors, Home Office
polizia: police
soccorso: first aid, rescue
in caso di: in case of, in the event of
caso: case, event
pericolo: danger
calamità: calamity
da utilizzarsi: to be used
utilizzare: to use
non sia possibile: whenever it is not possible
diversi: different, various
enti, gli (*sg.* l'ente): Authorities
interessati: concerned, interested

vigili del fuoco: fire brigade
vigili, *i* (*sg.* il vigile): fire men
fuoco: fire
infanzia: childhood
gestito da: run by, managed by
raggiungibile: reachable, accesible
telefonia: telephone line
fissa: landline
telefonici: phone-
incendio: fire
somiglianze: similarities
cabina telefonica: telephone booth
cabina: booth
scheda telefonica: telephone card
scheda: card
giornalaio: newsagent

Glossario

mobile: mobile phone
improvvisa: sudden
difficoltà: difficulty
corpo: body
Protezione civile: Civil Defence
protezione: protection, defence
civile: civil, of people
prestare aiuto: to help
prestare: to give, to lend
aiuto: help
età compresa tra gli 0 e i 12 anni: between 0 and 12 years of age
compresa: between, included
box: box

Autovalutazione

avvocato: lawyer, solicitor
di fronte (a): opposite
gruppo: group
estranea: unrelated
piazza: square, place
campo: field

QUADERNO DEGLI ESERCIZI

centrale: central
giapponese: Japanese (*sg.*)
aspirina: aspirin

fa male: it is aching, it is in pain, it hurts
tatuaggio: tatoo
Russia: Russia
figlia: daughter
dare una mano: to give a hand, to help
vicini: neighbours
Nord, *il*: (the) North
temperatura: temperature
birreria: beer shop, pub
golfo: gulf
acqua: water
calda: hot
salone: hall
novità: novelty
sole, *il*: sun
oretta: about an hour
entrata: entrance, entry time
al cento per cento: 100 per cent
garage, *il*: garage
prestare: to lend
certamente (*avv.*): certainly, of course
soldi: money
carta di credito: credit card
credito: credit
foglie: leaves
rivivere: to revive
distanza: distance
derby: derby
moglie, *la*: wife
*__quiz__: quiz
*__monumenti__: monuments
*__pendente__: pending
*__galleria__: gallery
*__maschio__: male, masculine
*__castello__: castle
*__campanile__, *il*: bell tower
*__duomo__: cathedral

Test finale

parcheggiare: to park
circa: about, around
tenere compagnia: to keep company
compagnia: company

grammar

PREPOSIZIONI ARTICOLATE
ARTICULATED PREPOSITIONS

The prepositions **a**, **in**, **di**, **da**, **su** when are combined with the definite articles they form just one word. This is not true with **per**, **con**, **tra** (**fra**), which are written separately.

ARTICOLO INDETERMINATIVO
THE INDEFINITE ARTICLE

If we know how the preposition **di** is formed when combined with the various articles, it would be easier for us to form the plural of the indefinite article.

So, for masculine words which have the definite article **i**, the indefinite article is **dei** (**di** + **i**).

For masculine words with the definite article **gli** the indefinite article is **degli** (**di** + **gli**).

For feminine words with the definite article **le** the indefinite is **delle** (**di** + **le**).

Usually, a preposition becomes articulated:

when the noun is defined precisely: *L'Italia del Nord.*

when a possessive pronoun that takes a definite article follows: *La macchina del mio amico.*

when time follows: *L'aereo delle nove, delle dieci* etc.

POSSESSIVE ADJECTIVES AND PRONOUNS (*mio/a, tuo/a, suo/a*)

Possessive adjectives and pronouns express ownership of an object or relationship between people. (i.e. *Questa è la mia borsa, Michele è il tuo nuovo compagno di banco*).

Possessive adjectives agree in gender and number with the object possessed. (i.e. *il libro di Maria – il suo libro, la macchina di Paolo – la sua macchina*).

Possessive adjectives precede the noun and are usually preceded by the definite article. (i.e. *il mio libro, il suo quaderno*).

Possessive pronouns are always used without the noun because they replace it. (i.e. *La casa di Marco è grande, la mia è piccola*).

Possessive pronouns, as a rule, are not preceded by the article when they follow the verb *essere*. (i.e. *Questo telefonino è tuo? No, non è mio, è suo*).

UNITÀ 4 *Al bar*

LIBRO DELLO STUDENTE
Per cominciare 3

tranquillo: quiet, calm
tutti e due: both

A1

come hai passato il fine settimana?: how did you spend last weekend?
non c'è male: not too bad
male (*avv.*): bad
niente di speciale: nothing special

le solite cose: the usual stuff
solite: usual
bere (*p.p.* ha bevuto): to drink
antico: ancient, old
Caffè: Coffee bar
ieri (*avv.*): yesterday
collega, *il/la*: colleague
film, *il*: film, movie
be': well
essere (*p.p.* è stato): to be

divertente: enjoyable, funny
rimanere (*p.p.* è rimasto): to stay
cosa hai fatto di bello?: did you do anything nice?
fare (*p.p.* ho fatto): to do, to make
un sacco: a lot
invece, sì: on the contrary, yes
nel pomeriggio: in the afternoon
ha avuto l'idea di andare: she thought of going
in gran fretta: in a hurry
fretta: hurry
sala: cinema theatre
intenso: intense
insomma (*avv.*): in conclusion, then

A4
riassunto: recapitulation, summary
insieme a: with, together with

A5
tratte dal dialogo introduttivo: taken from the introductory dialogue
passato prossimo: present perfect tense
passato: past
si forma: it is formed
successiva: next
ipotesi sulla formazione: (your) supposition on how to form
formazione: form
participio passato: past participle

A6
ausiliare, *l'* (*m.*): auxiliary
al dente: al dente, not overcooked
dente, *il*: tooth
cartoline: postcards
un anno fa: a year ago
fa: ago
come mai: why ever
dare una festa: to give, to throw a party

A7
orali (*sg.* orale): oral
l'altro ieri: the day before yesterday
l'estate scorsa: last summer
scorsa: last
in punto: o'clock

B1
sospettare: to suspect
furto: theft
avvenuto: happened

il 12 dicembre: on December 12
agente, *l'* (*m./f.*): policeman
cerca di verificare: trying to check
quello che è scritto: what is written
scritto: written
mensa: canteen
incontrare: to meet
dentista: dentist

B2
da che cosa dipende: what it depends on
dipendere (*p.p.* è dipeso): to depend
scelta: choice
verbi di movimento: verbs of motion, movement
movimento: motion, movement
ritornare: to return, to go back
rientrare: to go back in
giungere (*p.p.* è giunto): to arrive
verbi di stato in luogo: verbs not indicating motion
verbi intransitivi: intransitive verbs
succedere (*p.p.* è successo): to happen
morire (*p.p.* è morto): to die
nascere (*p.p.* è nato): to be born
piacere (*p.p.* è piaciuto): to like
servire: to serve, to be useful
diventare: to become
durare: to last
verbi riflessivi: reflexive verbs
alzarsi: to get up
svegliarsi: to wake up
lavarsi: to wash (oneself)
verbi transitivi: transitive verbs
ridere (*p.p.* ha riso): to laugh
piangere (*p.p.* ha pianto): to cry
camminare: to walk
sia *essere* sia *avere*: both *essere* and *avere*
sia: both
cambiare: to change
ultimamente (*avv.*): lately
scendere (*p.p.* è/ha sceso): to get down
correre (*p.p.* è/ha corso): to run

B3
ora (*avv.*): now
intero: whole
quel giorno: that day

subito (*avv.*): at once
aula: classroom
intorno alle due: around 2.00 (p.m.)
come sempre: as usual
circa: around
lì (*avv.*): there
venire (*p.p.* è venuto): to come

B4

anzitutto (*avv.*): first of all
per prima cosa: first thing

B6

correggere: to correct
spendere: to spend
accendere: to light, to turn on
decidere: to decide
soffrire: to suffer
vivere: to live
perdere: to lose
proporre: to propose, to suggest
spegnere: to turn off, to extinguish
promettere: to promise
discutere: to discuss, to argue
lista: list
completa: complete

B7

in tempo: on time, in time
bugia: lie
tutto il giorno: all day long
campionato: championship

C1

colloquio di lavoro: job interview
colloquio: interview
direttrice, *la*: director
laureata in Economia e Commercio: Business & Economics graduate
laureata: graduate
economia: Economics
commercio: Commerce
per quanto tempo?: for how long?
andare via: to go away, to leave
nel settembre scorso: last September
in tutto: in total
da allora: since then
allora (*avv.*): then

C2

tempo fa: some time ago

data: date
precisa: exact
nel febbraio del 1982: in February 1982
elementare: primary, elementary

C3

avvenimenti: events
scambiatevi (*inf.* scambiarsi): exchange (*imp. pl.*)
entrare in circolazione: to be put into circulation
circolazione: circulation
ospitare: to host
Giochi Olimpici: the Olympic Games
giochi: games
olimpici: Olympic
invernali (*sg.* invernale): winter
repubblica: republic
inventare: to invent
radio, *la*: radio
trionfare: to triumph
Festival di Sanremo: the Sanremo Festival
festival: festival
Sanremo: Sanremo
sezione: section
proposte: newcomers

C4

posizione: position
avverbi, *gli* (*sg.* l'avverbio): adverbs

C5

elementi: elements
sei mai stato in Spagna?: have you ever been to Spain?

D1

illustrazioni: illustrations, pictures
avere fame: to be hungry
fame, *la*: hunger
listino: price list
menù: menu
ecco a voi: here we are
vorrei (*inf.* volere): I would like
dopo pranzo: after lunch
tramezzino: sandwich
anzi: in fact, on the contrary
cornetto: croissant
cameriere, *il*: waiter
caffè macchiato: caffe macchiato (with a drop of milk in it)

acqua minerale: mineral water
acqua: water
minerale: mineral
prosciutto crudo: "crudo" ham
prosciutto: ham
crudo: raw, uncooked, "crudo" (speciality Italian cured ham)
mozzarella: mozzarella
lattina: can
un tipo deciso: a determined type
deciso: determined

D3

ognuno: everybody
caffè corretto: caffe corretto (with a drop of spirit in it)
decaffeinato: decaffeinated
caffelatte, *il*: caffelatte (coffee and milk)
tè, *il*: tea
camomilla: camomile tea
cioccolata in tazza: hot chocolate
cioccolata: chocolate
tazza: cup
panna: (wipped) cream
freddo: cold
dolci, *i* (*sg.* il dolce): desserts
coppa: cup
torta al caffè: coffee cake
torta: cake
tiramisù: tiramisu cake
zabaione, *lo*: zabaione
stracciatella: vanilla cream (with some chocolate)
cioccolato: chocolate
pannacotta: pannacotta (cooked cream)
bibite: soft drinks
in lattina: in can
spremuta d'arancia: freshly squeezed orange juice
spremuta: squeeze
arancia, *l'* (*pl.* le arance): orange
birra: beer
alla spina: draft
media: medium
aperitivi: aperitifs
bianco: white
pomodoro: tomato

D4

drammatizzare: to dramatize
ordinare: to order
avere sete: to be thirsty
sete, *la*: thirst

D5

stamattina (*avv.*): this morning
in fretta: in a hurry
rumore: noise
relazione: relation
di seconda mano: second hand
affrontare: to face
da sole: on their own
buona scusa: good excuse
scusa: excuse

E2

esistere (*p.p.* è esistito): to exist
più o meno: more or less
parlatene: talk about it (*imp. pl.*)
fuori (*avv.*): outdoor
posto: place

E3

nella quale: in which
trascorso: passed

Conosciamo l'Italia
Gli italiani e il bar

sosta: break
programma, *il* (*pl.* i programmi): programmes
giornaliero: daily
ora di pranzo: lunch time
seguito da: followed by
buon caffè: a nice cup of coffee
barista: barman
banco: bar
cassa: till
ritirare: to take
scontrino: receipt
accoglienti (*sg.* accogliente): welcoming
ospitali (*sg.* ospitale): hospitable
bar di provincia: bars in the small towns
più che altro: mainly, more than others
ritrovo: meeting place
di ogni età: of every age
giocare a carte: to play cards
carte: cards
è ancora più piacevole: it is even more pleasant

piacevole: pleasant
sedersi: to sit
ai tavolini: at the tables
in piazza: in the street (*lett.* square)
semplicemente (*avv.*): simply
sul marciapiede: on the pavement
marciapiede, *il*: pavement
godere del sole: to enjoy the sun
godere: to enjoy
sole, *il*: sun
chiacchierare: to chat
tazzina: coffee cup
ad esempio: for instance, for example
leggendario: legendary
punto di ritrovo: meeting point
scherzare: to joke, to make fun
passeggiare: to stroll, to have a walk
tipici esempi: typical examples
tipici: typical
locale, *il*: public place
soprattutto (*avv.*): above all
in piedi: standing
insegna: (commercial) sign
tantissime: a great many

Glossario

ricevuta: receipt
provare: to prove, to be proof of
pagamento: payment
punto di incontro: meeting point
scritta: written
situata: located
esterno: outside

Il caffè

riferirsi - *mi riferisco*: to refer to
dal gusto: with a taste of, tasting of
aroma, *l'* (*m.*): aroma, fragrance
forti (*sg.* forte): strong (*m. pl.*)
milanese: from Milan
macchina per il caffè: coffee machine
da bar: bar (machine)
permette di preparare: it allows you to prepare
preparare: to prepare
velocità: speed
preparazione: preparation
consumazione: consume
vita di tutti i giorni: everyday life

simbolo: symbol
pochissimo: very little
piena: full
sapore, *il*: taste
leggero: light
ristretto: strong
ghiaccio: ice
liquore: spirit, liqueur
caldo: hot
bevanda: drink
frati, *i* (*sg.* il frate): friars
cappuccini: Capuchin
in pratica: in practice
pratica: practice
trattarsi (di): to be about
schiuma di latte: milk foam
schiuma: foam
consiglio: advice, suggestion
invece di: instead of
infatti: as a matter of fact
impensabile: unthinkable, inconceivable
cappuccio: hood
pasto: meal
benissimo (*avv.*): very well
a tutte le ore: at any time
preferito: favourite, preferred
modo: fashion, way

Glossario

profumo: fragrance, perfume
cibo: food
creare: to create
monaco: monk
appartenere (a): to belong (to)
ordine religioso: religious order
religioso: religious
crema: cream
incredibile: incredible, unbelievable

Caffè, che passione!

passione: passion
al giorno: per day, every day
al pomeriggio: in the afternoon
rito: rite, ceremony
irrinunciabile: unmissable, not to be missed
sacchi: bags, sacks
importato: imported
pari a: equal to

tonnellate: tons
restanti (*sg.* restante): remaining
consumo: consumption
posto di lavoro: working place
consumate: consumed
caffettiere: coffee machines
ad uso domestico: for domestic use, home-
domestico: domestic, home-
la più usata: the most used, widespread
Moka, la: Moka
in pochi minuti: in few minutes

Glossario

abitudine: habit
sacra: sacred
chili: kilos
famigliare: domestic

Autovalutazione

imparare: to learn
localizzare: to locate
spazio: space
all'inizio: in the beginning
può darsi: it can be
con lo sconto: with the discount
sconto: discount

Appendice grammaticale

ammettere: to admit
appendere: to hang
concedere: to concede
crescere: to grow
deludere: to disappoint
difendere: to defend
dirigere: to lead, to drive
distinguere: to distinguish, to recognise
distruggere: to destroy
dividere: to divide, to split, to share
escludere: to exclude
esplodere: to explode
insistere: to insist
muovere: to move
nascondere: to hide
offendere: to offend, to hurt
risolvere: to resolve

rompere: to break
spingere: to push
uccidere: to kill

QUADERNO DEGLI ESERCIZI

volgere: to turn
suonare: to play, to ring
chitarra: guitar
velocemente (*avv.*): fast, quickly
litigare: to argue
arrivo: arrival
azienda: company, firm
cura: cure
matematica: Mathematics
spettacolo: show, spectacle
eventuali (*sg.* eventuale): eventual
decisione: decision
vuole fare di testa sua: he/she does as he/she pleases
*beata te!: Lucky you!
*beata: lucky
*cotto: of a person madly in love (*lett.* cooked)
*non ti preoccupare (*inf.* preoccuparsi): don't worry
*cucchiaini: teaspoons
tonno: tuna
maionese, la: mayonnese
uova, le (*sg.* l'uovo): eggs
come al solito: as usual
mobili, i (*sg.* il mobile): furniture
dimenticare: to forget
cintura: belt
scrittore: writer
statua: statue
libertà: freedom
discussioni: discussions
padre: father

Test finale

esattamente (*avv.*): exactly
per caso: by chance
passeggiata: walk

grammar

PASSATO PROSSIMO
THE PERFECT TENSE

Passato prossimo is formed like the English present perfect tense but it is translated like the simple past.
It expresses an action that took place in the past and finished in the past as well:
Ieri sono andato al cinema.
Luca è andato a vivere in Italia dieci anni fa.
It is a compound tense formed with the present tense of the auxiliary verbs *avere* and *essere* and the past participle of the verb.

It is simple to form the past participle of regular verbs: just substitute the suffixes **-are**, **- ere**, **-ire** to **-ato**, **-uto**, **-ito** correspondingly.
The past participle of the verbs that follow *essere* always agrees in gender and number with the subject: *Maria è andata, Noi siamo usciti.*

Analytically, *essere* is followed by:
Verbs that express motion: *Sono arrivato a Roma ieri.*
Verbs that state a stop at a place, such as *stare, restare, essere, rimanere*: *Sono stato in Italia diverse volte.*
Impersonal verbs (these are the verbs that express a fact which does not refer to concrete persons or things and are consequently used in 3rd person singular and plural) such as: *piacere, dispiacere, costare, bastare, durare, parere, sembrare, diventare, servire*: *È capitato un fatto strano.*
The verbs *dimagrire, ingrassare, morire, nascere, invecchiare, ringiovanire*: *Sono dimagrito molto.*
The reflexive verbs (unit 9): *Mi sono lavato con l'acqua fredda.*

Analytically, *avere* is followed by:
Transitive verbs (transitive is called a verb whose energy is reflected on an object): *Non ho mai visto un film italiano.*
Intransitive verbs that show an action of body, spirit or a psychical situation: *Ho lavorato tutto il giorno, Ho pianto molto, Non ho dormito bene ieri notte.*
Intransitive verbs that express motion and state direction, like: *passeggiare, camminare, viaggiare*: *Ho camminato fino a casa.*
Verbs that express sport action such as: *nuotare, sciare, giocare*: *Abbiamo giocato a calcio ieri.*
Verbs meaning oral expression such as: *parlare, discutere, urlare, cantare*: *Ho parlato con lui di un problema.*
There are verbs that are formed with both auxiliaries. Such verbs are:
The verbs *cambiare, cominciare, finire.* When they are expressed as transitive verbs, they get the auxiliary *avere* and when as intransitive they get *essere*: *Ho cambiato idea / Sandra è cambiata.*
The verbs *salire, scendere, saltare* when formed with an object are conjugated with *avere*. In any other case they are conjugated with *essere*: *Ho salito le scale / Sono salito per le scale, Ha saltato l'ostacolo / È saltato in aria.*
The verbs *piovere, nevicare, tuonare, lampeggiare* when emphasizing an action and its duration, they get the auxiliary *avere*. When the consequences of the action are emphasised they get the auxiliary *essere*: *Ieri ha piovuto per dieci ore / È piovuto e le strade sono allagate.*

The adverbs *sempre, mai, ancora, piu, già, appena, anche*, are usually put between the auxiliary and the past participle: *Non ho ancora parlato con Mario.*

The particle of place *ci* substitutes a place which is already mentioned: *Vieni al cinema con noi? Sì, ci vengo volentieri.*

The verbs *potere*, *dovere*, *volere* get as auxiliary verb, the same auxiliary of the infinitive that follows: *Ho potuto lavorare* (*lavorare*: *avere*), *Sono potuto venire* (*venire*: *essere*).

UNITÀ 5   *Feste e viaggi*

LIBRO DELLO STUDENTE
Per cominciare 1
trascorrere (*p.p.* ho trascorso): to spend
Per cominciare 2
Madrid: Madrid
Lisbona: Lisbon
Zurigo: Zurich
Per cominciare 3
nuovamente (*avv.*): again
Natale, *il*: Christmas
lontano da: far from
lontano (*avv.*): far
a Capodanno: on New Year's Eve
Capodanno: New Year's Eve
A1
ancora no: not yet
quest'anno: this year
prenotare: to book
sorpresa: surprise
Portogallo: Portugal
treno ad alta velocità: high speed train
però!: wow!
giro d'Europa: tour of Europe
Europa: Europe
giro: tour, round
un bel po': quite a lot
anche se: even if
offerta: offer
sito: site
da qualche parte: somewhere
suoi: her (*m. pl.*)
l'ultimo dell'anno: New Year's Eve
festeggiare: to celebrate
in qualche bel posto: somewhere nice
buone feste: happy holidays
buon viaggio: have a nice trip
buon Natale: Merry Christmas
buon anno: happy new year

A3
a Natale: at Christmas
iniziali (*sg.* iniziale): original
augurare: to wish
A4
amore mio: my love
come no: sure!
bellissima: beautiful
A5
brevemente (*avv.*): briefly
A6
futuro semplice: simple future
futuro: future
finalmente (*avv.*): eventually
cucinare: to cook
smettere (di): to stop, to quit
per le vacanze: for (your) holidays
da grande: when I grow up (*lett.* when I am older)
architetto: architect
A8
in basso: bottom (page)
progetti: plans, projects
giorno e notte: night and day
previsioni: forecast
laurea: graduation
piovere: to rain
bravissimo: very good
promesse: promises
va bene: alright
di più: more
periodo ipotetico: hypothetical sentence
periodo: sentence
ipotetico: hypothetical
andare avanti: to go on, forward
avanti (*avv.*): forward
da domani: from tomorrow
un giorno: one day
Ferrari, *la*: *Ferrari*

B1

biglietteria: ticket office, box office
controllo: control, check
binario: platform, rail

B2

brani: passage, piece
seconda classe: second class
classe, *la*: class
Intercity: Intercity
Eurostar: Eurostar
andata e ritorno: return (ticket), round-trip
andata: outward journey
ritorno: return journey
solo andata: one way
quant'è?: How much is it?
compreso: included
supplemento: supplement
centesimi: cents
in arrivo: arriving
arrivo: arrival
al binario 8: on platform 8
anziché: rather than

B6

impiegato: clerk
consultare: to consult
mappa: map, street map

C1

settimana bianca: skjing holiday
Alpi, *le*: Alps
la mattina del 23: in the morning of the 23rd
turno: work shift
dopo che: after that
ripartire: to leave

C2

di lei: her

C3

futuro composto: compound future
composto: compound
futura: future
lo stesso: the same

C4

isole Canarie: the Canary Islands
lotto: lotto, lottery
verrà o no?: Will he come or not?

D1

***fa freddo**: it's cold

***tira vento**: it's windy
***tirare**: to blow (of wind)
***vento**: wind
***nemmeno** (*avv.*): not even
***nuvola**: cloud
***ti ricordi** (*inf.* ricordarsi): do you remember, recall
***all'improvviso**: suddenly
***pessimista**: pessimist, negative
***meteo**: weather-
nuvoloso: cloudy
previsioni del tempo: weather forecast
rinunciare: to give up

D2

Nord, *il*: North
***nuvolosità**: cloudiness
***su tutta la penisola**: all over the peninsula
***penisola**: peninsula
***nebbia**: fog, mist
***possibilità**: possibility, eventuality, chance
***temporali**, *i* (*sg.* il temporale): thunderstorms
***graduale**: gradual
***miglioramento**: improvement
***moderati**: moderate
***mosso**: rough (of sea)
***Tirreno**: Tyrreanian (Sea)
***Adriatico**: Adriatic (Sea)
***temperature**: temperatures
***in diminuzione**: decreasing
***diminuzione**: decrease
sereno: clear, sunny
variabile: variable
neve, *la*: snow
calmo: calm, quiet
deboli (*sg.* debole): weak
stabili (*sg.* stabile): stable
in aumento: increasing
aumento: increase

D3

svolgere (*p.p.* ha svolto): to develop
nevicare: to snow

D4

cielo: sky
coperto: overcast
agitato: heavy, choppy

E1

periodo: period

dappertutto (*avv.*): everywhere
strade: roads, streets
illuminate: illuminated
affollati: crowded
c'è chi cerca...: there is someone who looks for…
parenti, *i* (*sg.* il parente): relatives
fare la spesa: to shop
ripieno: stuffed
spumante, *lo*: spumante, sparkling wine
naturalmente (*avv.*): naturally
tradizionale: traditional
cosiddetta: so-called
piene di: full of
Epifania: Epiphany
Pasqua: Easter
scherzo: joke
è permesso: (it) is allowed, permitted
Ferragosto: 15th August, Feast of the Assumption
tacchino: turkey
panettone, *il*: panettone
Carnevale, *il*: Carnival
cenone, *il*: Christmas Eve dinner
località: place, resort
scompartimento: compartment
crociera: cruise
valige: suitcases
bagagli, *i* (*sg.* il bagaglio): luggage
destinazione: destination
nave, *la*: ship
prenotazione: booking
tariffa: tarif, charge

E2
in futuro: in future

E4
quei giorni: those days

Conosciamo l'Italia
Gli italiani e le feste

bambini: children
Babbo Natale: Father Christmas, Santa Claus (*Am.*)
babbo: father
doni: presents, gifts
insieme agli adulti: with the adults (grown-ups)
adulti: adults
addobbare: to decorate
albero di Natale: Christmas tree
presepe, *il*: crèche

farcito: stuffed
pollo arrosto: roast chicken
pollo: chicken
arrosto: roast, roasted
specialità: specialities
regionali (*sg.* regionale): regional, local
pandoro: pandoro
tavole: dining tables
appendere (*p.p.* ha appeso): to hang
calze: stockings
Befana: Befana
vecchietta: old nice witch
carbone, *il*: coal
cattivi: bad
mascherarsi: to wear a mask
costumi, *i* (*sg.* il costume): fancy dresses
noto: well known, popular
cattolica: catholic
cadere: to fall, to be
di domenica: on Sundays
uovo, *l'* (*pl.* le uova): egg
di cioccolata: chocolate
nascondere: to hide
i tuoi: your
proverbio: proverb, saying
nazionale: national, domestic
anniversario: anniversary
seconda guerra mondiale: Second World War
guerra: war
mondiale: world-
durante: during
estive: summer-
celebrare: to celebrate
ascesa: ascent, rising
Vergine Maria: Virgin Mary
vergine: virgin
popolari (*sg.* popolare): local
palio: palio
Asti: Asti
regata: regatta
storica: historical
giostra: carousel
saracino: Saracen
Arezzo: Arezzo (*Italian city*)
contenere: to contain
Unità: Unity

Glossario

abbellire: to embellish, to make beautiful
assunzione: assumption
salita: rising, ascent
gara: competition
a cavallo: on horseback
cavallo: horse
barche, *le* (*sg.* la barca): boats
cavalieri, *i* (*sg.* il cavaliere): horsemen
armati: armed

I treni in Italia

distanze: distances
sia brevi che lunghe: both short and long distance
rete ferroviaria: rail network
rete, *la*: network
ferroviaria: rail-
coprire (*p.p.* ha coperto): to cover
territorio: territory
qualità: quality
offerti: offered
piuttosto (*avv.*): rather
esigenza: need
locale: local
collegare: to connect, to join
all'interno: within
interno: inside
fermarsi: to stop
diretto: local (train)
interregionale: interregional
vicine: close
veloci (*sg.* veloce): fast
livello: level
comodità: comfort
principali (*sg.* principale): main
standard: standard
comfort: comfort
250 km orari: 250 Km. per hour
orari: timetables
ristorazione: catering
includere (*p.p.* ha incluso): to include
rapidi: fast
lussuosi: luxurious
creati: created
designer: designer
ad oltre 300 km: over 300 km

oltre: over
km (chilometri): kilometres
all'ora: per hour
agevolazioni: concessions
anziani: elderly people
modalità: procedure
attiva: active
sia in 1ª che in 2ª classe: both in first and second class
a bordo: on board
bordo: board
necessità: need
vantaggi, *i* (*sg.* il vantaggio): advantages
acquistare: to purchase
comodamente (*avv.*): comfortably
per telefono: by telephone
partenza: departure
eliminare: to cut
attesa: waiting
ritiro: collection
presso (*avv.*): by
sportello: ticket counter
carta di credito: credit card
funzionare: to work
conferma: confirmation
carrozza: wagon
assegnati: assigned
una volta saliti: once on the train
sufficiente: enough, sufficient
fornire - *fornisco*: to supply
personale, *il*: personnel
provvedere: to provide
stampare: to print
oltre al semplice biglietto: as well as the simple ticket
oltre: as well as
differire - *differisco*: to be different

Glossario

bisogno: need
particolarmente (*avv.*): particularly
raffinato: sofisticated
facilitazione: discount, offer

Autovalutazione

computer: computer
sposare: to marry
puntuale: on time

direttamente (*avv.*): directly
ombrello: umbrella
pullman, *il*: coach

Appendice grammaticale
dimenticare: to forget

QUADERNO DEGLI ESERCIZI
sicuramente (*avv.*): surely
attenti: careful
significare: to mean
un bel niente: nothing (anything) at all
ventina: about twenty
chissà: who knows?
sì e no mezz'ora: more or less half an hour
souvenir: souvenir
piatti: plates, dishes
messaggio: message
segreteria telefonica: answering machine
in compagnia di: in the company of
intanto (*avv.*): in the meantime, meanwhile
cantare: to sing
romantico: romantic
pure: also
critica: criticism
mettere da parte: to put aside
avere paura: to be scared, to fear

paura: fear
viaggio di piacere: pleasure trip
benzina: petrol
sono fatti l'uno per l'altra: they are a perfect match
toccare: to touch
***sciare**: to sky
***depliant**: brochure, leaflet
***specializzata**: specialised
***volo**: flight
***ragionevole**: reasonable
***esperienza**: experience
a testa: each

Test finale
ferie, *le*: work holidays
costiera: coast, coastal
amalfitana: Amalfi
toscana: Tuscan
migliorare: to improve
prevedere: to foresee
veneziana: Venetian

2° test di ricapitolazione (unità 3, 4 e 5)
parco: park
soltanto (*avv.*): only
ginnastica: gymnastics
dischi: records

FUTURO - FUTURE

Generally, the Future tense expresses an action taking place in the near or far future: *Domani andrò dal medico, Fa tre anni finirò i miei studi.*

We use the future tense for:
future plans: *Quando finirò l'università, lavorerò molto.*
predictions: *Domani farà bel tempo!*
estimations: *Avrà trent'anni.*
promises: *Verrò da te domani!*
in the first type of Hypotheticals, to express what is almost sure: *Se finirò presto il lavoro, usciremo.*
suggestions, orders, threats in a much milder way than that of the Imperative: *Dovrai studiare prima di uscire!*

VERBAL IRREGULARITIES OF THE FUTURE

The verbs in -***care*** and -***gare*** take the letter **-h-** in all persons: *Cercherò di venire.*
The verbs in -***ciare***, -***giare***, -***sciare*** drop the -*i* of the stem in all persons: *mangiare - mangerò* (and not *mangierò*), *lasciare - lascerò* (and not *lascierò*).
Some verbs drop the -*e*- of the suffix (-*erò*) like *avere*: *avere - **avrò*** (and not *averò*), *potere - **potrò***, *sapere - **saprò***.
A group of irregular verbs drops the prefinal syllable and doubles the **-r-** of the final syllable:

grammar

grammar

volere - **vorrò**, *venire* - **verrò**, *tenere* - **terrò**, *porre* - **porrò**.
The same thing happens with the derivatives of the above verbs: *provenire, mantenere, proporre*.
Finally the verbs **stare**, **dare**, **fare** have the suffix *-arò* and not *-erò*.

FUTURO COMPOSTO
FUTURE PERFECT

The future perfect (*futuro composto*) is a compound tense. It is formed with the verbs *avere* and *essere* in the future plus the past participle of the verb.
It expresses an action that will take place in the future before another future one.
It is used only in subordinate clauses which are introduced by the adverbs of time: *quando, dopo che, appena, non appena*.
The action that temporally precedes is not necessarily mentioned first: *Andrò in vacanza appena avrò finito questo lavoro.*

UNITÀ 6   *A cena fuori*

LIBRO DELLO STUDENTE
a cena fuori: dining out
Per cominciare 1
romantica: romantic
Per cominciare 3
litigare: to argue
ragazzo di Elena: Elena's boyfriend
A
problemi di cuore: aching heart, heartbreak
cuore, il: heart
A1
strano: strange, peculiar
da nessuna parte: nowhere
amica del cuore: buddy, bosom friend
permesso: permission
A2
riconoscere: to recognize
A3
sorpresa: surprise
giustificare: to justify
comportamento: behaviour
A4
padre: father
qualcosa non va: something is wrong
spiegazioni: explanations
figlia: daughter
fare il filo (a): to court, to flirt
colpa: fault
con chi stai?: Who are you with?

A6
mi piacciono: I like…, they appeal to me
cugino: cousin
perdere la testa: to lose one's head
grazie a: thanks to
conoscenze: acquaintances
enorme: huge
conferenze: lectures
quello lì: that one
all'angolo: in the corner
angolo: corner
legata: attached
fantastica: neighbour
vicini: close
musicali (*sg.* musicale): musical
casa di campagna: country house
stupenda: stunning
B1
albero genealogico: family tree
rapporto: relationship
parentela: kinship
B2
marito: husband
nipote, il/la: nephew, niece, grandchild
moglie, la: wife
figlio: son
papà: daddy
sorellina: little sister
nipotino: little nephew, niece, grandchild

B3

nonno: grandfather
bici, *la*: bicycle
fratellino: little brother

B4

membro: member

C1

piatto: plate
cucchiaio: spoon
coltello: knife
forchetta: fork
tovagliolo: napkin
tovaglia: tablecloth

C2

*zona**: area
*fame da lupi**: hungry as a wolf
*lupi**: wolves
*avere bisogno (di)**: to need
*primo**: first course (pasta)
*pasta**: pasta
*tagliatelle**: tagliatelle
*funghi**: mushroom
*qualcos'altro**: something else
*spaghetti alla carbonara**: spaghetti carbonara
*lasagne**: lasagne pasta
*secondo**: main course
*carne**, *la*: meat
*bistecca ai ferri**: grilled steak
*bistecca**: steak
*vitello**: veal
*verdure**: vegetables
*antipasto**: hors-d'oeuvre
*contorno**: side dish (vegetables)
*insalata**: salad
saporito: tasty

C3

portata: course
alla bolognese: Bolognese style
bolognese: Bolognese

C4

antipasto freddo: cold appetiser
specialità della casa: house speciality
vino: wine
cucina: cuisine
spaghetti al pesto: spaghetti with pesto
piccanti (*sg.* piccante): hot, spicy

affatto (*avv.*): at all
tortellini: tortellini
olive: olives

C5

desiderare: to wish

C6

ordinazioni: orders
Parma: Parma
bruschetta: bruschetta
misto: mixed
salmone, *il*: salmon
affumicato: smoked
ragù, *il*: ragu sauce
penne: quills (*a shape of pasta*)
all'arrabbiata: arrabbiata (spicy)
arrabbiata: angry
farfalle: butterflies
ai quattro formaggi: four cheeses
formaggi, *i* (*sg.* il formaggio): cheeses
fettuccine: fettuccine (*similar to tagliatelle*)
rigatoni, *i* (*sg.* il rigatone): rigatoni (*a shape of pasta*)
sugo: sauce
linguine: linguine
risotto: risotto (rice dish)
ai frutti di mare: with seafood
frutti: fruits
aglio: garlic
scaloppine: escalopes
involtini: roulades
romana: Roman style
maialino: piglet
al forno: oven cooked
forno: oven
filetto: fillet
insalata Caprese: Caprese salad
marinara: marinara
napoletana: Neapolitan
siciliana: Sicilian
calzone, *il*: savoury roll
mele: apples
frutta: fruit
fresca: fresh, of the season
di stagione: of the season
grigio: grey
*indeciso**: uncertain

*parere, *il*: opinion
*chef, *lo*: chef
*mi raccomando (*inf.* raccomandarsi): don't
forget
*naturale: natural

C8

pepe, *il*: pepper
sale, *il*: salt
salato: salty
cotta: cooked

D1

spuntino: snack
pausa pranzo: lunch break
pausa: break
siccome: since
avere fretta: to be in a hurry
al massimo: at most
massimo: most
volerci: to be necessary
fette biscottate: rusks
fette: slices
burro: butter
miele, *il*: honey
metterci: to take
saltare: to skip
fare merenda: to have a snack (*usually in the afternoon*)
merenda: tea snack
a posto: alright
in ogni caso: in any case
a quell'ora lì: around the same time

D2

pane, *il*: bread
biscotti: biscuits
cereali, *i* (*sg.* il cereale): cereals

D3

spettacolo: show, spectacle

D4

cuocere (*p.p.* ha cotto): to cook
cottura: cooking
da mangiare: food
un quarto d'ora: a quarter of an hour

E1

dizionario: dictionary
affettare: to slice
friggere (*p.p.* ha fritto): to fry

mescolare: to mix, to stir
grattugiare: to grate
salame, *il*: salame

E2

a cosa servono: what are they for
utensili da cucina: kitchen tools
utensili, *gli* (*sg.* l'utensile): tools
pentola: pan
tegame, *il*: frying pan
cavatappi, *il*: corkscrew
colapasta, *il*: strainer
grattugia: grater
tagliere, *il*: chopping board
pentola a pressione: pressure cooker
pressione: pressure
mestolo: ladle

E3

in base a: according to
base, *la*: base
finora (*avv.*): so far
apprezzati: appreciated, valued
prodotti: products
alimentari (*sg.* alimentare): food-
occasione: circumstance

E4

viaggio di lavoro: business trip
ritenere: to consider, to believe

Conosciamo l'Italia
Gli italiani a tavola

a tavola: at the table
apprezzare: to appreciate
buona cucina: good cuisine
popoli: peoples
arabi: Arabs
austriaci: Austrians
ricette: recipes
pizzerie: pizza restaurants
Parmigiano Reggiano: Parmigiano Reggiano
esportare: to export
nel lontano 1292: far in 1292
leggenda: legend
Cina: China
etruschi: Etruscans
Medioevo: Middle Ages
introdurre (*p.p.* ha introdotto): to introduce, to
bring in

maestri: masters, experts
diffondersi (*p.p.* si è diffuso): to spread
egizi: Egyptians
focaccia: flat loaf
sorta: sort, kind
rotondo: round
sottile: thin
Rinascimento: Renaissance
poveri: the poor
arricchire - *arricchisco*: to enrich
classi, *le* (*sg.* la classe): classes
ricche: rich
regina: queen
desiderio: wish
pizzaiolo: pizza maker
tricolore: tricolour
bandiera: flag
basilico: basil
conquistare: to conquer
teorie: theories
origini, *le* (*sg.* l'origine): origins
considerare: to consider
invenzione: invention
del tutto: completely

Glossario

fantasia: fantasy, imagination
secolo: century
a.C. (avanti Cristo): b.C. (before Christ)
spessore: thickness
caratterizzato: characterised
rinnovamento: renewal
artistico: artistic
culturale: cultural

La pasta
1.

istruzioni: instructions
ingredienti, *gli* (*sg.* l'ingrediente): ingredients
gr. (grammi): g. (grams)
pancetta: pancetta (*Italian bacon*)
grattugiato: grated
olio: oil
extravergine: extra-virgin
sbattere: to beat
parmigiano: parmisan
tagliare: to cut
a cubetti: in dice

cubetti: dice
fateli: make them
rosolare: to brown
alluminio: aluminium
aggiungere: to add
moderato: moderate
serviteli: serve (*imp. pl.*) them
scolateli: drain (*imp. pl.*) them
scolare: to drain
mescolateli: mix (*imp. pl.*) them
condimento: seasoning

Glossario

pancia: belly
maiale, *il*: pork (food), pig
assomigliare: to look like
bacon, *il*: bacon
lento: slow
ottenere: to obtain
rossastro: redlike
togliere: to remove, to take away
renderlo: to make it
rendere: to make
aceto: vinegar

2.

abbinamenti: combinations
gnocchi: gnocchi
fusilli: fusilli

Dove mangiano gli italiani...

richiedere: to take
secca: dry
parecchie: several
alternative: alternatives
qualsiasi: any
trattorie: restaurants
varietà, *la*: variety
ambiente, *l'* (*m.*): environment
economica: cheap
osterie: taverns
frequentate: popular with
per mancanza di tempo: for (the) lack of time
mancanza: lack
paninoteca: sandwich bar
nutritiva: nutritional

Autovalutazione

possesso: possession
attimo: moment, instant

brioche, *la* (*pl.* le brioche): brioche
maschio: male

QUADERNO DEGLI ESERCIZI

Brasile, *il*: Brasil
conto: bill
lavanderia: laundry
fare visita: to visit
visita: visit
occhiali: prescription glasses
matrimonio: wedding
al più presto: as soon as possible
passaporti: passports
ormai (*avv.*): by now
fiori, *i* (*sg.* il fiore): flowers
rose: roses
indirizzo: address
filosofia: Philosophy
liceo: lyceum/high school (*Am.*)

totocalcio: football pool
gelosa: jealous
giù (*avv.*): down
per niente: (not) at all
specialmente (*avv.*): especially
pittore: painter
Unione Europea: European Union
unione: union
europea: European
affittare: to rent, to hire
guidare: to drive
patente, *la*: driving licence
prodotti: products
provare: to try
successo: success

Test finale

in genere: in general, generally
metà: half

I PRONOMI POSSESSIVI
POSSESSIVE PRONOUNS

The possessive pronouns express possession and ownership.
What is important for choosing a possessive pronoun is the gender of the possessed thing and not that of the possessor: *il libro di Luigi*: *il suo libro*, *il libro di Maria*: *il suo libro*.

The possessives are always combined with the definite article which precedes, unless there is a family relationship in the singular: *mio padre, mia madre, mio fratello*.
A definite article must be used when the possessive determiner is **loro**: *la loro figlia*.
If the degree of relationship is in a nickname or if it is qualified by another adjective in addition to the possessive, then a definite article is compulsory: *la mia mamma, il mio fratello minore*.
Generally, the possessives go before the noun: *la mia casa*.
Between the possessive and the noun, all kinds of adjectives can be used: *la mia bella casa*.
Sometimes in case of an emphasis the possessive can follow the noun. In that case, it takes no article: *Andiamo a casa mia!*

Vorrei is the first person of the verb **volere** in *condizionale semplice*. It is translated as *I would like* and it is used very often in order to ask for something politely. In other words, its use is imperative when we need to ask for something (details in unit 10).
The verb **piacere** is an impersonal verb and we usually use it in the third singular (*piace*) and in the third plural person (*piacciono*). It takes *pronomi indiretti* (indirect pronouns) which we will meet analytically in unit 10: *Mi piace mangiare* (*I like eating*).

The adjectives **quello** and **bello**, when preceding the noun, change the suffix according to the article that the noun takes. So we have the forms:
quel - bel (for nouns that take the definite article **il**)

quello - bello (for nouns that take the definite article **lo**)
quell' - bell' (for nouns that take the definite article **l'**)
quei - bei (for nouns that take the definite article **i**)
quegli - begli (for nouns that take the definite article **gli**)
This rule is not valid if the adjective follows the noun: *uomo bello.*

The verbs **volere** and **mettere** when combined with the particle **ci** change their meaning.
So we have the impersonal expressions:
ci vuole: it takes (singular), *ci vogliono*: it takes (plural).
Ci vuole molto tempo per finire questo lavoro.
Ci vogliono molte ore per finire questo lavoro.
With the verb *mettere* and the particle *ci* we state the time someone takes to do something.
Per andare a scuola ci metto dieci minuti.

grammar

UNITÀ 7   *Al cinema*

LIBRO DELLO STUDENTE
Per cominciare 2
attrice, *l'* (*f.*): actress
segreto: secret
psicologo: psychologist
Per cominciare 3
trama: plot
Per cominciare 4
a libro chiuso: without reading (close your book)
A1
peccato: what a shame!
thriller, *il*: thriller
psicologico: psychological
di quelli che piacciono a te: the ones you like
mannaggia: damn it
racconta un po': tell me
fino a quando: until when
un altro: another
sparire - *sparisco*: to disappear
scusa pronta: prompt excuse
manager, *il/la*: manager
contratto: contract
squillare: to ring
praticamente (*avv.*): practically
doppia vita: double life
addirittura (*avv.*): even
sposarsi: to marry
matrimonio: wedding
A3
comportarsi: to behave

A4
distratto: absent minded
girare delle scene: to shoot some scenes
girare: to shoot (film)
scene: scenes
per niente: (not) at all
in realtà: actually
realtà: reality
A6
imperfetto: imperfect
A7
cioccolatini: chocolates
ospiti, *gli* (*sg.* l'ospite): guests
suoceri: parents in law
a bocca aperta: dumbfounded, speechless
A8
porre: to put
tradurre: to translate
B1
risate: laughs
ripensare: to remember, to think over
ci penso: I think of it
occhiali: prescription glasses
forte: cool!
costume da bagno, *il*: swimming suit
B2
evento: event
ricordi: memories
B3
abituale: usual

ripetuta: repeated
da giovane: in (his/her) youth
conclusa: concluded, finished
contemporanee: contemporary
nervoso: nervous, agitated
frigorifero: fridge, refrigerator
a lungo: a long time
in corso: in progress
interrotta: interrupted
Vaticano, il: the Vatican
suonare: to ring

B4
vecchio amico: an old friend, a long time friend

B5
portava i jeans: he wore jeans
jeans, i: jeans
maglietta: T-shirt
celeste: pale blue
era seduto su una Vespa: he was sitting on a
Vespa
Vespa, la: Vespa (scooter)
in continuazione: repeatedly
compagnia: group of friends
timido: shy
stare insieme: to be together, to have a
relationship
felici (sg. felice): happy
in giro: around
deserta: desert
impazienti (sg. impaziente): impatient
pendente: pending

B6
vignette: illustrations
racconto: account, story
storiella: story
originale: original

B7
riga: line
duro lavoro: hard work
duro: hard
risultato: result, outcoming
chiaro: clear

C1
*tragedia: tragedy
*commedia: comedy
*un granché: a great deal

*neppure (avv.): not even
*eppure: nevertheless
*critiche: reviews, criticisms
*mezz'ora: half an hour

C4
trapassato prossimo: past perfect
avvenire: to happen

C5
per cena: for dinner

D1
regista: film director
tant'è vero che: in fact
premio: prize
regia: direction
Festival di Cannes: Cannes (Film) Festival
geniali (sg. geniale): ingenious, talented
sicuramente (avv.): surely

D2
stimare: to esteem, to think highly of
genere, il: genre
gialli: thrillers
fantascienza: sci-fiction
avventura: adventure
personaggio: character
motivare: to explain, to give reasons
accordo: agreement
disaccordo: disagreement

E2
stampa: press
pubblicità: advertising

E3
interpretazione: acting

Conosciamo l'Italia
Il cinema italiano moderno
autobiografico: autobiographical
paradiso: paradise, heaven
paese, il: small town
anni '50: the '50s
pianista: piano player
oceano: ocean
Mediterraneo: Mediterranean (Sea)
paura: fear, scare
parodia: parody
attraverso: through
interpretare: to play (a role)
caimano: caiman

postino: postman
affascinante: fascinating, charming
poeta, *il*: poet
cileno: Chilean
successo: success
ladro: thief
nemico: enemy
ciclone, *il*: cyclone, tornado
trio: trio
realizzare: to make
di grande successo: acclaimed, very successful
rappresentare: to represent
comico: comedian
fenomenale: exceptional, phenomenal
showman, *lo*: showman
televisivo: television-
battere: to hit, to strike
record, *il*: record
incasso: cashing (at the box-office)
stecchino: toothpick
mostro: monster
tigre, *la*: tiger
regalare: to give as a present
colonna sonora: soundtrack, film score
straordinaria: extraordinary
bellezza: beauty
talento: talent
sta facendo: she is having, she is making
internazionale: international

Glossario

la propria vita: one's own life
propria: own
far innamorare: to make s.o fall in love
innamorare: to charm
sé: self
somma: sum
provenire: to come from
vendite: sales

Il grande cinema italiano

interpreti, *gli* (*sg.* l'interprete): performers, actors
volti: faces
ignoti: unknown
divorzio: divorce
all'italiana: Italian style
candidato all'Oscar: nominated for the Academy Awards

candidato: candidate, nominee
mediterranea: Mediterranean
recitare: to act, to recite
indimenticabili (*sg.* indimenticabile): unforgettable
entrambi: both
attore di teatro e di cinema: theatre and cinema actor
prendere parte (a): to take part
ironico: ironic
a livello internazionale: on international scale
turco: Turkish
ammirati: admired
scomparire (*p.p.* è scomparso): to disappear
genio: genius
grande schermo: big screen
schermo: screen
collaborare: to assist, to collaborate
capolavori: masterpieces
lui stesso: he himself
spaghetti western: spaghetti western
pugno: fist
dollari: dollars
accompagnati: together with
compositore: composer
tango: tango
imperatore: emperor
deserto: desert
Buddha: Buddha
neorealismo: Neorealism
gloriosi: glorious
occupata: occupied
nazisti, *i* (*sg.* il nazista): nazis
citare: to quote

Glossario

eccezionali (*sg.* eccezionale): exceptional
opera: work
artista: artist
celebre: well-known, renowned
sotto il controllo: under control

Autovalutazione

è scoppiato un temporale: a storm broke out
scoppiare: to break, to burst
attraversare: to cross
cosa danno all'*Ariston*?: What's on at the *Ariston*?

i tuoi: your
investire: to invest
basilica: basilica

QUADERNO DEGLI ESERCIZI

occhiali da sole: sunglasses
segretaria: secretary
entusiasmo: enthusiasm
calma: calm, calmness
interesse, *l'* (*m.*): interest
calciatori, *i* (*sg.* il calciatore): football players/ soccer players (*Am.*)
prendere il sole: to sunbath
per colpa di un esame: because of an exam
normale: normal
né: nor
indietro: back

opportuno: opportune
incidente, *l'* (*m.*): accident
auguri, *gli* (*sg.* l'augurio): wishes, greetings
tardare: to get late
diversamente (*avv.*): otherwise, differently
bancomat, *il*: cash point, cash dispenser
riprendere: to start again
essere abituato (a): to be used (to)
non vedere l'ora (di): can't wait to
cinematografica: cinema-, cinematographic
alla rinfusa: randomly
rinfusa: random

Test finale

nonostante: despite, in spite of
architettura: Architecture
società: society

IMPERFETTO
IMPERFECT

The imperfect is a past tense used to show the duration of an action in the past. In other words it expresses a constant and repetitious action in the past.

It is the tense we use for descriptions (of persons, situations, feelings, things etc).

Only **essere** is irregular in the imperfect. Some other verbs are not considered to be irregular, if we just look upon their Latin infinitive. So we have: *bere* (*bevere*) - *bevevo*, *dire* (*dicere*) - *dicevo*, *fare* (*facere*) - *facevo*, *porre* (*ponere*) - *ponevo*, *tradurre* (*traducere*) - *traducevo*, *trarre* (*trahere*) - *traevo*.

IMPERFECT OR PRESENT PERFECT?

A common difficulty for students is that of choosing the right tense between *imperfetto* and *passato prossimo*.

If we go through the definitions of both tenses we will see that **passato prossimo** is used in order to express an action that happened and was completed in the past but whose consequences are related to the present.

With **passato prossimo** we examine the action in all its duration.

Imperfetto is used in order to express an incomplete action which we examine at a specific point of its development:

Ieri dalle nove alle dieci sono stato da Carla.
Alle dieci meno dieci ero ancora da Carla.

Passato prossimo expresses two or more actions that take place one after the other:
Prima ho mangiato e poi ho guardato la TV.

Imperfetto expresses two or more actions that take place simultaneously:
Mentre mangiavo, guardavo la TV.

Very often one action interrupts another which is in progress. The action which interrupts is used in **passato prossimo**, while the interrupted one is in **imperfetto**:
Mentre mangiavo, è venuto Luigi, È suonato il telefono quando dormivo.

If we want to state that we did something in the past as a habit we use **imperfetto**:
Ogni domenica andavo dai miei genitori.

When using the verbs ***dovere***, ***potere***, ***volere*** in **imperfetto** without completing our phrase the inter-locutor is unable to understand whether the action was done or not. So we are obliged to clarify our phrase: *Maria doveva cambiare casa e ne ha cercata subito una nuova.*
On the other hand, in **passato prossimo** we are not obliged to complete our phrase because it is obvious whether the action happened or not: *Maria ha dovuto cambiare casa.*

TRAPASSATO PROSSIMO
PAST PERFECT

It is a compound tense. It is formed with the imperfect of the auxiliary verbs *avere* and *essere* and the past participle of the verb. It is used mostly in secondary sentences in order to state an action that took place in the past before another one, also in the past, which is in *passato prossimo* or *imperfetto*: *Sono venuto a casa tua, ma **eri** già **uscito**.* So, we could say that *trapassato prossimo* is Past before Past.

UNITÀ 8   *Fare la spesa*

LIBRO DELLO STUDENTE
Per cominciare 1
yogurt, *lo*: yogurt
Per cominciare 2
registrazione: recording
Per cominciare 3
marca: brand
convincere (a): to persuade
Grana Padano: Grana Padano cheese (*similar to Parmigiano Reggiano*)
A
etti: hectogram
A1
per forza: unwillingly
oro: gold
va be': alright
mulino: mill
confezione: pack, box
non importa: it doesn't matter, never mind
importare: to matter
banane: bananas
di meno: less
il meglio: the best
tratti bene: you treat (him) well
trattare: to treat
A4
riflettere: to reflect
individuare: to recognize

A7
mature: mature
pronomi diretti: direct pronouns
vivamente (*avv.*): truly (*non lett.*)
fumare: to smoke
per strada: in the street
A8
di sopra: above
accompagnare: to go with, to accompany
A9
litro: litre
B1
che peccato: what a shame
rabbia: rage
continuamente (*avv.*): endlessly
accidenti: damn it!
gioia: joy
rammarico: regret
disappunto: disappointment
B3
sul serio: seriously
quasi quasi: we have half a mind to…
B4
annunciare: to tell, to announce
totocalcio: football pool
compagni di classe: classmates, fellow students
C1
bastare (*p.p.* è bastato): to be enough

C2
pronome partitivo: partitive pronoun
ormai (*avv.*): by now

C3
in offerta: on offer
paio, *il* (*pl.* le paia): a couple
dozzina: dozen

C4
mortadella: mortadella

D1
orecchini: earrings
scarpe: shoes
che c'è?: what? what's the problem?
non sei mica l'unica: you are not the only one at all
mica (*avv.*): at all
unica: the only one
ad un certo punto: suddenly (*non lett.*)
umore: mood

D3
Musei Vaticani: Vatican Museums

D4
verbale: verbal, verb-
decisione: decision
del genere: such a…
come fai a sapere: how do you know
informare: to inform

E1
aiutare: to help
***consegnare**: to deliver
***traduzione**: translation
***meno male**: thank goodness
***non ci capisco niente**: I haven't a clue
***ti vedo un po' giù**: you look a bit depressed
***giù** (*avv.*): down
***di cattivo umore**: in a bad mood
***essere d'aiuto**: to be helpful
***in qualche modo**: in some way
non fa niente: never mind

E2
collaborazione: collaboration

E3
teatrale: theatrical
stressato: under stress

E4
abito da sera: evening dress, frock
io che c'entro?: What has it to do with me?

per caso: by any chance
scusami: I am sorry
assolutamente (*avv.*): absolutely
ipermercato: hypermarket
fuori città: out of town
vuoto: empty

E6
pillole: pills
esperienze: experiences
soldi: money

E7
parcheggiare: to park
oretta: about an hour

F1
contenitore: container
contenuto: content
tubetto: tube
vasetto: jar
scatoletta: tin
dentifricio: tooth paste
marmellata: jam
tonno: tuna

F2
fioraio: florist
fruttivendolo: green grocery
panetteria: bakery
pasticceria: patisserie
pescivendolo: fishmonger
mazzo: bunch
rose: roses
medicinale, *il*: drug, medicine
gamberi: shrimps

G1
ce l'hai: do you have…?, have you got…?
cronologico: chronological
sottostanti (*sg.* sottostante): below
lista della spesa: shopping list
cosa vuol dire: what does it mean?

G2
permesso di soggiorno: residence permit
soggiorno: residence
passaporti: passports
mi spiace: I am sorry
spiacere: to be sorry
ce n'è: there is … of it
portacenere, *il*: ashtray

H2

stanno per andare: they are about to go
precisare: to specify
quantità: quantity
succo d'arancia: orange juice
succo: juice
detersivo: detergent
patate: potatoes
uva: grape
carta igienica: toilet paper
cavolo: cabbage
lattuga: lettuce
negozio di alimentari: grocery
negoziante, *il/la*: shop keeper, owner

H3

spaventoso: dreadful, scary

Conosciamo l'Italia
Dove fare la spesa

stanno generalmente attenti: they generally care
attenti: careful
alimentazione: food, eating
negli ultimi anni: in the last few years
biologici: biological, organic
marchi, *i* (*sg.* il marchio): brands
genuini: genuine, natural
pubblicizzati: advertised
discount: discount
reclamizzati: advertised
di tutto: everything
convenienti (*sg.* conveniente): convenient
proprietario: owner
cliente: customer, client
impersonali (*sg.* impersonale): impersonal
rispetto a: compared to
mercato: market
svolgersi (*p.p.* si è svolto): to take place
verdura: vegetable
usati: second hand
prodotti per la casa: house products

Prodotti tipici italiani

agroalimentari (*sg.* agroalimentare): agricultural and food (products)
tradizione: tradition
territorio: territory

sistema, *il*: system
garanzia: guarantee
tutelare: to protect
patrimonio: richness, heritage
unico al mondo: unique in the whole world
certificare: to certify
primato: eminence, supremacy
settore: field, sector
politiche: policy, policies
agricole: agricultural
forestali (*sg.* forestale): forest-
denominazione: trade name
protetta: protected
indicazione: origin (*non lett.*)
geografica: geoghaphical
riconoscimento: recognition
Unione Europea: European Union
unione: union
europea: European
ricotta: ricotta cheese
pecorino: pecorino (sheep) cheese
aceto balsamico: balsamic vinegar
in assoluto: absolutely
assoluto: absolute
re, *il*: king
antichissima: very ancient
Pianura Padana: Po Valley
pianura: plain, land, valley
conservarsi: to preserve, to keep
aumentare: to increase
con il passare del tempo: as time passes/goes by
processo: process
lavorazione: manufacturing
grosse: big, large
forme: moulds
stagionatura: maturing
umidi: moist, humid
delicato: delicate
gustoso: tasty
allo stesso tempo: at the same time
a pezzi: in pieces
alimento: food
preziosissimo: very precious
energetico: energetic
grasso: fat
metodi: procedure, method

conservare: to preserve
ritrovare: to find
salatura: salting (procedure)
ciò: what
rinomato: renowned
dovuto a: due to
cosce, *le* (*sg.* la coscia): thighs
clima, *il*: climate
mite: mild
rosee: rose-coloured
tenere: tender
assaporare: to taste
grasso: fat
equilibrato: balanced
sotto l'aspetto: from the point of view
aspetto: point of view
nutrizionale: nutritional
bufala: buffalo
cremoso: creamy
mucca: cow
ingrediente base: main ingredient
dieta: diet
sec. (secolo): century
Annibale: Hannibal
in buona parte: mostly
artigianale: artisan, handcrafted
preferibile: preferable
nobilissimo: noble, superior
produzione: production
utilizzato: employed
più passa il tempo e più...: the longer the (better)...
scrittore: writer

Glossario

controllata: monitored, verified
procedura: procedure
maturazione: maturing, seasoning
aggiunta: addition
animale, *l'* (*m.*): animal
ginocchio: knee
fatto a mano: hand-made
maniera: manner, way

Autovalutazione

sbagliato: wrong
fiori, *i* (*sg.* il fiore): flowers
cosmetici: cosmetic products

vitamine: vitamins
macellaio: butcher

QUADERNO DEGLI ESERCIZI

telegiornale, *il*: TV news
ammirare: to admire
frequentare: to attend
simpatia: attraction, sympathy
consumare: to consume, to use
la maggior parte: the greater part
maggior (maggiore): greater
sacchetto: bag
aranciate: orange juice (or squash)
centro commerciale: shopping centre
trentina: about thirty
SuperEnalotto: Super Lottery
abbassare: to lower
volume, *il*: volume
prestito: loan
entusiasta: enthusiast
eccola: here she is
documenti: documents, papers
copia: copy
talk show, *il*: talk show
*scadere: to expire
*piuttosto (*avv.*): rather
*fedele: faithful
*biologico: biological, organic
*reparto: department, ward
*lavatrice, *la*: washing machine
*idratante: moisturizing
*gel, *il*: gel
*shampoo, *lo*: shampoo

Test finale

occhietti: little eyes
picnic, *il*: pic-nic
felicità: happiness
allegria: cheerfulness
serenità: serenity
tranquillità: quietness, calmness
colorata: coulorful

3° test di ricapitolazione (unità 6, 7 e 8)

interessi, *gli* (*sg.* l'interesse): interests
guadagnare: to earn

PRONOMI DIRETTI
DIRECT PRONOUNS - OBJECT PRONOUNS

Pronomi diretti substitute the direct object and are translated in the accusative.

There are two kinds. *Forma atona* (**mi, ti, lo, la, La, ci, vi, li, le**) and *forma tonica* (**me, te, lui, lei, Lei, noi, voi, loro**).

If we use *forma atona*, the pronouns are put before the verb. So, we have: *pronome + verbo*:
Mi saluta (*She/He greets me*).

If we use *forma atona*, the pronoun follows the verb. So, we have *verbo + pronome*:
Saluta me (*She/He greets me*).

Pronome **lo** in relation to the verb *sapere* can substitute a whole sentence in order to avoid any repetition:
Sai che domani arriva Laura? Sì, **lo** *so.*
(instead of *Sì, so che domani arriva Laura*).

Pronome **ne** has many uses and meanings which we are going to see in the next chapters. Basically, it is used as a partitive particle, that is, it substitutes just a part of a set:
Hai bevuto tutto il vino? No, **ne** *ho bevuto solo un bicchiere.*
On the other hand, we use **lo, la, li, le** in order to substitute the whole set:
Hai bevuto tutto il vino? Sì, **l'**ho bevuto tutto.*

In compound tenses the past participle always agrees in gender and number with the *pronomi diretti* when they precede:
Hai capito la situazione? Sì, **l'**ho capit**a**.*
Hai capito il discorso? Sì, **l'**ho capit**o**.*
Hai capito le domande? Sì, **le** ho capit**e**.*
Hai capito gli amici? Sì, **li** ho capit**i**.*

The agreement of the past participle with the *pronomi diretti* **mi, ti, ci, vi** is optional, while with **lo, La, li, le** is obligatory.

Lo and **la** in the compound tenses, when used before *avere* always take an apostrophe. This is not happening with **li** and **le**.

With the verbs **potere**, **volere**, **dovere**, which are followed by infinitive, the *pronomi diretti* are used in two ways: they can either precede the verb or be added to the infinitive that follows them.
La devo vedere* or *Devo veder**la**.*
Ti voglio parlare* or *Voglio parlar**ti**.*
Li voglio incontrare* or *Voglio incontrar**li**.*

If the verb *avere* is not used as an auxiliary but states possession and is accompanied by the *pronomi diretti* **lo, la, li, le**, then the particle **ci** precedes them and for euphony reasons it turns into **ce**.
Hai la macchina? Sì, **ce l'** ho.*
Hai i libri? Sì, **ce li** ho.*
Hai le chiavi? Sì, **ce le** ho.*

UNITÀ 9 *In giro per i negozi*

LIBRO DELLO STUDENTE

Per cominciare 1
accessori, *gli* (*sg.* l'accessorio): accessories

Per cominciare 3
la sera prima: the evening before
stilista: stylist
rivedersi: to meet again
lasciarsi: to leave, to split (of a couple)

A1
sentirsi: to feel
distrutto: destroyed, worn out, exhausted
le ore piccole: small hours
la solita storia: the same old story
festa di compleanno: birthday party
insistere (*p.p.* ha insistito): to insist
per ore: for hours
commessa: shop assistant
come è andata a finire la serata?: how did the evening end up?
divertirsi: to have fun
innamorarsi (di): to fall in love

A3
telefonata: telephone call

A4
da quello che dice: by all accounts
in passato: in the past
mettersi insieme: to start a relationship
innamorato cotto: madly in love
per telefono: by telephone
acqua in bocca: keep your lips sealed
preoccuparsi: to worry
fidarsi (di): to trust

A6
in base a quanto: according to
vestire: to wear
vestirsi: to get dressed
se stessa: herself

A7
addormentarsi: to fall asleep
esprimersi (*p.p.* si è espresso): to express
elegantemente (*avv.*): elegantly

A8
parentesi, *le* (*sg.* la parentesi): brackets
reciproci: reciprocal

A9
sbrigarsi: to hurry
sentirsi male: to feel sick, ill

B1
in vetrina: in the shop window
vetrina: shop window
taglia: size

B2
camicetta: blouse
di viscosa: (made of) viscose
viscosa: viscose
cotone, *il*: cotton
seta: silk
pelle, *la*: leather
marrone: brown
tacco: heel
in contanti: cash
contanti, *i* (*sg.* il contante): cash

B3
a fiori: flower pattern
tessuto: fabric
di che colore: what colour…?
credo di sì: I think so
che taglia porta?: what is your size?
camerino: fitting room
là (*avv.*): there
in fondo: at the end
Le sta molto bene: it suits you very well
uno sconto del 20%: 20% discount
calzature: footwear
di moda: fashionable
che numero porta?: what shoe size do you wear?
morbide: soft (*agg. f. pl.*)
quanto vengono?: how much are they?
prezzi fissi: fixed price
saldi: sales

B4
dividersi: to split
nel rispettivo dialogo: in the respective dialogue
rispettivo: respective

B5
suggerimenti: suggestions
stile, *lo*: style
classico: classic

disposto: ready, prepared
quant'è: how much is it
alla moda: fashionable
stretto: tight

C1

capi: items (of clothing)
giacca da donna: lady's jacket
giacca: jacket
cappotto: coat
camicia: shirt
pantaloni: trousers
cravatta: tie
occhiali da sole: sunglasses
maglione, *il*: jumper
giubbotto: zipped racket, sport racket (*Am.*)

C2

sinonimi: synonyms
pullover, *il*: pullover
elegante: elegant
indossare: to wear
t-shirt, *la*: T-shirt
stoffa: fabric
abbottonato: buttoned
spogliarsi: to undress

C3

rosa: pink

C5

state parlando: you are talking

D2

prepararsi: to get prepared, to get ready
cambiarsi: to change (clothes)
mettersi (a): to start
seriamente (*avv.*): seriously
arrabbiarsi: to get angry, upset
torto: wrong (to be)

D4

impegnate: busy
rivolgersi (*p.p.* si è rivolto): to address
occuparsi (di): to engage (in)
difendersi (*p.p.* si è difeso): to defend oneself

E1

caro: expensive
golf, *il*: golf

E2

congiuntivo: subjuntive
dettagliatamente (*avv.*): in details

pazienza: patience

F1

vita da studente: student life
chiaro: clear
esagerare: to exaggerate
docenti, *i* (*sg.* il docente): teachers
soggetto: subject

F4

trasformare: to transform
ottimista: optimist, positive

F5

amicizie: friendships
inutile: useless
specificare: to specify
contesto: contest

G1

comprensione: comprehension
opportune: suitable, appropriate
sciarpa: scarf
lana: wool
a righe: striped
righe: stripes
rivestiti di pelliccia: lined with fur
rivestiti: lined
pelliccia: fur
maglia: knitwear
a maniche lunghe: long sleeved
maniche, *le* (*sg.* la manica): sleeves
rivelare: to reveal, to disclose

G3

centri commerciali: shopping centers
relativamente (*avv.*): relatively
disponibilità: availability (of funds)

G4

avere intenzione (di): to plan, to intend to do
intenzione: intention

Conosciamo l'Italia
La moda italiana

raffinatezza: refinement of taste
sviluppati: developed
esportazioni: exports
permettersi (*p.p.* si è permesso): to afford
capi firmati: designer clothes
la maggior parte: the vast majority
maggiore: major
alta qualità: high quality

a prezzi più bassi: at lower prices
sfilate: catwalks
case di moda: fashion houses
imperi: empires
tutto suo: all of his own
negozi propri: own shops
stelle di Hollywood: Hollywood stars
completi: suits
tailleur, *il*: two-piece suit
lusso: luxury
alta società: high society
società: society
produrre (*p.p.* ha prodotto): to produce
articoli: items
fra l'altro: besides
dirigere (*p.p.* ha diretto): to supervise, to direct
dallo stile: in a style
profumi: perfumes
vivaci (*sg.* vivace): vivid, bright
multicolori (*sg.* multicolore): multicolour
firmare: to brand
di lusso: luxury-
è arrivato a costruire: he has built up
pian piano: little by little, gradually
piano (*avv.*): slowly
un vero e proprio: a true
basato su: based upon
colorati: colourful
clientela: customers, clientele
giovanile: young
tramite: by
franchising, *il*: franchising
provocatorie: controversial
suscitare: to cause, to arouse
polemiche: polemics, controversy
significare: to mean
produttore: producer, manufacturer
firme: leading firms
italiane e non: Italian and foreign
altrettanto: as much
gioielli: jewels
oro lavorato: wrought, manufactured gold
senza limiti: limitless, boundless
limiti, *i* (*sg.* il limite): limits
deve molto: he owes a great deal
ereditare: to inherit

azienda: firm

Glossario

eleganza: elegance
finezza: refinement
potente: powerful
organizzazione: corporation

Autovalutazione

informarsi: to enquire
extralarge: extralarge
riquadro: grid

QUADERNO DEGLI ESERCIZI

pettinarsi: to comb (oneself)
in forma: in shape, fit
fatti: made
muoversi: to move
decidersi: to make one's mind up
stancarsi: to get tired
avvicinarsi: to get close, to approach
facilità: easiness, ease
laurearsi: to graduate
ritrovarsi: to meet
farsi la barba: to shave (oneself)
barba: beard
farsi male: to hurt oneself
alla grande: very well
vigile urbano, *il*: traffic officer
a prima vista: at first sight
vista: sight
cartoni animati: cartoons
facilmente (*avv.*): easily
mettersi: to wear
perdersi: to lose one's way, to miss, to get lost
offendersi: to take offence
considerarsi: to consider oneself
pensieri: thoughts
abituarsi (a): to get used (to)
iscriversi: to enroll
mettersi d'accordo: to agree, to come to an agreement
chiedersi: to wonder
accorgersi: to realise
presentarsi: to introduce oneself
liberarsi: to free oneself, to get rid of
rumorosa: noisy
annoiarsi: to get bored
dimenticarsi (di): to forget

dormita: sleep
riposato: rested
infelice: unhappy
malata: ill
piscina: swimming pool
misteri: mysteries
londinese: Londoner
cappelli: hats
*****da vista**: prescription (glasses)

*****lenti**, *le* (*sg.* la lente): lens
*****miopia**: short-sightedness
*****montatura**: frame (of glasses)
*****metallo**: metal
*****calcolare**: to estimate

Test finale

valutare: to evaluate
stressante: stressful

I VERBI RIFLESSIVI
REFLEXIVE VERBS

They are conjugated in all tenses and moods as all active verbs are, provided that we put the pronouns
mi, **ti**, **si**, **ci**, **vi**, **si** before the verbal types.
They express that the action of the subject is reflected back to the subject:
Daniela si lava = Daniela lava se stessa.
In English these verbs correspond with the reflexive pronouns: *myself, yourself, himself, herself, itself, ourselves, yourselves, themselves.*
The negative form is formed with *non*.

VERBI RIFLESSIVI RECIPROCI
RECIPROCAL REFLEXIVE VERBS

These are the verbs that presuppose more than one subject and state a reciprocal action, an interaction. Therefore these verbs have only plural number:
Io saluto Gianni e Gianni saluta me = Io e Gianni ci salutiamo.

FORMA RIFLESSIVA APPARENTE
APPARENT REFLEXIVE FORM

Many times in Italian in order to give emphasis we change the active verb to reflexive.
Mi compro un bel vestito.
Mi mangio un bel gelato.
In compound tenses the reflexive verbs are accompanied by the auxiliary verb *essere* and the past participle always agrees in gender and number with the subject:
Laura si è lavata.
Mario si è lavato.
Laura e Mario si sono lavati.

When the verbs *potere*, *volere*, dovere accompany a reflexive verb, there are two syntax possibilities for the pronouns: either to precede *potere*, *volere*, *dovere* or to follow combined with the infinitive.
For compound tenses there is a peculiarity:
a. If *pronomi riflessivi* precede *potere*, *dovere*, *potere*, then we use *essere* as the auxiliary verb:
Mi sono dovuto lavare con acqua fredda.
b. If *pronomi riflessivi* follow the infinitive, then we use *avere* as the auxiliary verb:
Ho dovuto lavarmi con acqua fredda.

grammar

grammar

FORMA IMPERSONALE
IMPERSONAL FORM

Every verb can express its meaning generally, without defining the subject. In this case, we are talking about the impersonal expression of the verb. The impersonal expression is formed:

1. With the pronoun **si** and the third singular person of the verb.

Si viaggia meglio in aereo e si arriva prima.

If in the phrase there are many verbs in impersonal form, then the particle *si* is repeated before every verb.

2. With **uno** and the third singular person of the verb.

Uno viaggia meglio in aereo e arriva prima.

We notice that *uno* is not used before every verb.

When we form the impersonal form of the reflexive verbs, in order to avoid the repetition of *si si*, we transform the impersonal *si* to **ci**:

***Ci si** lava meglio con l'acqua calda,*

but *Uno si lava meglio con l'acqua calda.*

UNITÀ 10   *Che c'è stasera in TV?*

LIBRO DELLO STUDENTE
Per cominciare 1
programmi televisivi: TV programs
soap opera, *la*: soap opera
quiz, *il*: quiz show
talk show, *il*: talk show
Per cominciare 3
trasmissione: transmission, program
tematiche: issues
sociali (*sg.* sociale): social
conduttore: presenter
A1
zapping: zapping
in gamba: competent, skilled
telespettatori, *i* (*sg.* il telespettatore): TV viewers
solamente (*avv.*): only
sfruttare: to exploit
in diretta: live-
diretta: live
cerco di farti capire: I am trying to explain to you…
sottocultura: underculture
mi interessa: I am interested
interessare: to interest
altissimo: very high
A4
il giorno dopo: the day after

mi dà fastidio: it bothers me
fastidio: bother, nuisance
stupidi: stupid
fa il filosofo: he poses as a philosopher
filosofo: philosopher
insegnare: to teach
A6
indiretti: indirect
sciare: to ski
prestare: to lend
A7
ricostruire: to form
documentari, *i* (*sg.* il documentario): documentaries
logico: logic
tutto ciò: all this
A8
cinese: Chinese
portare fortuna: to bring good luck
più volte: many times
prendere in giro: to pull someone's leg
A9
costiera: coast
inviare: to send
telegramma: telegram
congratulazioni: congratulations
frequentare: to go out with

concorso: contest
opportunità: opportunity

A10

fotografie: photographs
ad essere sincero: to be honest, true
sincero: sincere, true

B1

in prestito: on loan
prestito: loan
cassetta: tape (cassette)
ti pare: do you think…
parere: to seem
dispiacere, *il*: sorrow, regret
non mi va: I don't feel like

B2

lamentarsi: to complain
spostare: to move
non ci riesco: I cannot do it

B3

stereo: stereo
fare gli auguri: to give one's best wishes
auguri, *gli* (*sg.* l'augurio): wishes, greetings
esso: it

C1

conversazione: conversation
Cesare: Caesar
Cleopatra: Cleopatra
radiotelevisione: radiotelevision
telegiornale, *il*: TV news
cartoni animati: cartoons
legionario: legionary
Romolo: Romulus
Remo: Remus
Cartagine: Carthage
finale, *la*: final
reality, *il*: reality
ruota: wheel
attualità: current affairs
ricevere: to receive
anno zero: year 0
mi è antipatico: I don't like him
puntata: episode, part (of a program)
forza …!: Let's go …!
slogan, *lo*: slogan
non la perdo mai: I never miss it
tarda serata: late evening

continente, *il*: continent
oltre (*avv.*): beyond
Mar Mediterraneo: Mediterranean Sea
fa schifo!: disgusting!
schifo: disgust
digitale: digital

C2

fan, *il/la*: fan
satellitare: satellite-

C3

commentare: to comment
confrontare: to compare
automobilismo: motor-racing
G. P. (Gran Premio): G. P. (Grand Prix)
telefilm, *il*: TV series

C4

notiziario: news report
show, *lo*: show
spot, *lo*: spot
episodio: episode, part
rete, *la*: TV network
varietà, *il*: variety show

C5

da 50 pollici: 50 inches
pollici, *i* (*sg.* il pollice): inches
servizi, *i* (*sg.* il servizio): news reports
telecomando: remote control
antenna: aerial
parabolica: dish, parabolic, satellite aerial

C6

presentatrice: presenter
andare in onda: to go on air
uguale: tsame

D1

magica: magic
fiaba: fairy tale
sano: healthy

D2

battute: lines
intervalli: breaks
pubblicitari (*sg.* pubblicitario): advertising
articolo: article
stufo: fed up

D3

imperativo: imperative

D4

alla rinfusa: randomly
rinfusa: random
sogni: dreams
partecipare: to enter (a competition)

D5

mi serve: I need
altrimenti (*avv.*): otherwise
non la finisce più: (she) never stops
urlare: to shout

D6

negativo: negative

D7

spiritoso: witty, funny
fiducia: trust, faith
tradire - *tradisco*: to betray

E

prendilo pure!: you can have it!
mal di gola: sore throat
gola: throat
coccolare: to cuddle

E2

vacanze studio: study tour, educational studies
strappare: to tear
redazione: newsroom
girami quella e-mail: forward that e-mail to me
statistica: statistic
quotidiani: daily newspapers
al più presto: as soon as possible
lasciami dormire: let me sleep
macché: not at all

E3

domattina (*avv.*): tomorrow morning

E5

raddoppiare: to double

E6

fa eccezione: is an exception

F1

*sempre dritto: straight on
*dritto: straight
*centinaio, *il* (*pl.* le centinaia): hundred
*metri: metres
*fila: cue
*traversa: (cross) street
*incrocio: crossroad
*sulla tua destra: on your right

F3

indicazioni: directions
altare, *l'* (*m.*): altar, memorial
patria: motherland

G2

pro: pros
contro: cons
caratteristiche: characteristics
mass media, *i*: mass media
lati: sides, aspects
positivi: positive

Conosciamo l'Italia
La televisione in Italia

passatempi: pastimes, hobbies
in media: on average
media: average
dividere (*p.p.* ha diviso): to divide
categorie: categories, types
statali (*sg.* statale): public
ovvero: or better
amministrazione: management
consiglio: council
governo: government
finanziati: funded
canone, *il*: TV licence fee
abbonamento: subscription
disporre (di): to have, to own
messaggi, *i* (*sg.* il messaggio): advertisement
sponsor, *lo*: sponsor
interrompere: to interrupt
terrestre: terrestrial
abbonati: subscribers
decodificatore: decoder
decine: tens
televendita: telesales
diffusione: the spread, diffusion
gratuitamente (*avv.*): for free
dedicare: to devote, to dedicate
soddisfare: to satisfy, to comply with
esigenti (*sg.* esigente): demanding
Formula 1 (uno): Formula One

La stampa italiana

malgrado: despite
testate: newspapers
copie: copies
fondato: founded

settimanale, *il*: weekly magazine
proprietà: property
ha sede: (it) has its head office
sede: head office, head quarters
nazione: nation
organi: organs, political newspapers
ufficiali (*sg.* ufficiale): official
partiti: (political) parties
migliaia, *le* (*sg.* il migliaio): thousands
inserti: supplements
in bianco e nero: black and white
cronaca: (home) local news

Glossario
apparecchio: device
fascicolo: booklet

Autovalutazione
incidente, *l'* (*m.*): accident
stradale: road-
miracoli: miracles

QUADERNO DEGLI ESERCIZI
d'oro: made of gold
scusarsi: to apologize
biglietto di auguri: greetings card
volere bene: to take care, to love
parrucchiere, *il*: hair dresser, stylist
ministro: minister

esporre (*p.p.* ho esposto): to exclaim
assaggiare: to taste
poliziotti: policemen
commenti: comments
in privato: in private
ridare: to return
pochino: a little
febbre, *la*: fever
silenzio: silence
riposarsi: to rest
andare d'accordo: to get on well
ferma: still
Marocco: Morocco
servizio: news report
*visto che: since, given that
*linguaggio: language
*costume, *il*: custom
*suggerire: to suggest
*mensile, *il*: monthly magazine
*per quanto riguarda: regarding
*riguardare: to regard
*sorrisi: smiles
*arredamento: interior design, furnishing

Test finale
distrattamente (*avv.*): absent-mindedly
lettore: reader
costretti: forced

PRONOMI INDIRETTI
INDIRECT PRONOUNS

Pronomi indiretti substitute the indirect object. They are equivalent to the proposition *a* + object.
The position of *pronomi indiretti* is always before the verb: *le parlo, ti scrivo*.
Special attention should be given to *pronome* **gli**, which in singular number is used for the masculine,
Gli presento Mario: I introduce Mario, *to him*.
while, in plural it is used for both genders:
Telefono a Laura e Gianna: Gli telefono.
Telefono a Mauro e Stefano: Gli telefono.
Gli in third person plural can be substituted by **loro**, which however follows the verb: *Telefono loro*.
In compound tenses and moods (unlike to what happens to *pronomi diretti*) there is not an agreement
of the past participle with *pronomi indiretti*: *Gli ho telefonato, Le ho telefonato*.

The impersonal verb *piacere* is always combined with *pronomi indiretti*. In compound tenses there is
the agreement of the past participle.
Ti è piaciuto **il film**?
Ti è piaciuta **la borsa**?

grammar

grammar

Ti sono piaciuti gli attori?
Ti sono piaciute le foto?

What happens with *pronomi diretti*, also applies with *pronomi indiretti*, when the verbs *potere, volere, dovere* are followed by infinitive, a syntactical option: *Le devo parlare = Devo parlarle.*

IMPERATIVO
IMPERATIVE

Imperativo is the mood of order, of urge. It has just one tense, *presente*. There is no first person, since it's impossible to order ourselves. Here we will see *imperativo diretto* (*tu, noi, voi*) which borrows the types from present indicative.

For the verbs in -*ere*, -*ire* the imperative in affirmative form is the same with present indicative.

The second singular person of the verbs in -*are* needs some special attention in the affirmative form. There is a small peculiarity as far as *tu* is concerned, for which we borrow the third singular person of present indicative and not the second.

(*tu*) *Studia!*, (*tu*) *Parla!*

In the negative form the second singular person is formed with *non* + infinitive in all three conjugations.

(*tu*) *Non parlare!*   (*tu*) *Non perdere!*   (*tu*) *Non dormire!*

IMPERATIVE AND PRONOMI

In the affirmative form *pronomi* are used at the end of the verb forming one single word. The word intonation does not change:

lascia - lasciami, prendi - prendilo.

In the negative form there is an option of syntax:

Non comprarlo! = Non lo comprare!

Non compriamolo! = Non lo compriamo!

Non compratelo! = Non lo comprate!

The verbs **andare, dare, fare, stare, dire** have a peculiarity in the second singular person. So we have correspondingly: **va', da', fa', sta', di'**.

When these types are combined with *pronomi*, the consonant of *pronome* is doubled.

The only exception is with **gli**.

*Anna, **dammi** una mano* (**da' + mi**).

but ***Digli** di aspettare* (**di' + gli**).

The verbs *avere* and *essere* apart from the second singular person of the affirmative form that is irregular, borrow the rest of the persons from the present subjunctive.

ESSERE		AVERE	
affirmative	*negative*	*affirmative*	*negative*
sii!	non essere!	abbi!	non avere!
siamo!	non siamo!	abbiamo!	non abbiamo!
siate!	non siate!	abbiate!	non abbiate!

UNITÀ 11 *Un concerto*

LIBRO DELLO STUDENTE
Per cominciare 1
elencati: listed
locandina: poster
terzo mondo: third world
Per cominciare 3
seguito: following
A1
andare a ruba: to sell like hot cakes
matta: crazy
andare matti (per): to be crazy for
troppo (*avv.*): too much
mandare a quel paese: to tell someone to go to hell
pure: also
senso: meaning
che ne so?: how should I know?
A3
reagire - *reagisco*: to react
in mente: in mind
mente, *la*: mind
A4
tentativo: try, attempt
A6
condizionale: conditional
A7
al posto tuo: if I were you
proposta: offer
A8
irregolarità: irregularity
B1
realizzabile: feasible
dare un'occhiata: to have a look at
occhiata: look, glimpse
autostrada: motorway
per paura del traffico: for fear of the traffic
circostanze: circumstances
B2
biro, *la* (*pl.* le biro): biro, ballpoint pen
passante, *il/la*: passer-by
ad alta voce: aloud
voce, *la*: voice
premere: to press
pulsante, *il*: button
sacchetti: carrier bags

per piacere: please
B3
dimagrire - *dimagrisco*: to lose weight
stare a dieta: to be on a diet
iscriversi: to become a member
in palestra: in the gym
aerobica: aerobics
ortopedico: orthopaedic
nuoto: swimming
dietologo: dietician
frequentare: to attend
regolarmente: (*avv.*): regularly
B4
altrui: someone else's
confermata: confirmed
testimoni, *i* (*sg.* il testimone): witnesses
sui trent'anni: around thirty years old
coinvolgere (*p.p.* ha coinvolto): to involve
scandalo: scandal
ministri: ministers
presidente, *il*: president
patente, *la*: driving licence
da un momento all'altro: at any moment
C1
orgoglioso: proud
C2
peggio (*avv.*): worse
risolvere (*p.p.* ha risolto): to solve
rompere (*p.p.* ha rotto): to break off, to split up
esagerato: excessive
offeso: offended, hurt
che fine hanno fatto: what happened to
per la rabbia: out of rage/anger
C3
sfortunati: unlucky
sveglia: alarm clock
C6
previsto: expected
C7
meravigliosa: wonderful
C8
post-laurea: post-graduate
E1
microfono: microphone

batteria: drums
cuffie: headphones
chitarra: guitar
tastiera: keyboard

E2

comporre: to compose
pianoforte, *il*: piano
volare: to fly
autore: author

E4

indagine, *l' (f.)*: survey
importanza: importance
dal vivo: live
tenersi: to take place

E5

collezione: collection
raccolta: collection

E6

assistere (*p.p.* ha assistito): to attend

Conosciamo l'Italia
La musica italiana moderna

lirica: opera
cantare: to sing
musica leggera: pop music
Belpaese: Italy (*lett.* the Beautiful Country)
cantautori, *i* (*sg* il cantautore): songwriter singer
costituire: to form, to be
versi: lyrics
poesie: poems
raramente (*avv.*): rarely
banali (*sg.* banale): trite, banal
amatissimo: beloved
spettatori, *gli* (*sg.* lo spettatore): audience
spericolata: reckless
alba: dawn
classifiche: charts
riconosciuto: recognised
influenzato: influenced
evidenti (*sg.* evidente): evident, undeniable
influenze: influences
etnica: ethnic
ombelico: navel
serenata: serenade
annoiarsi: to get bored
solitudine: solitude, loneliness
poiché: because

prestigioso: prestigious
idolo: idol
ritmiche: rhythmic
melodiche: melodic
appassionare: to thrill
numerosissimi: a great number of
romanzi: novels
tenore: tenore
non vedente: not sighted
palcoscenico: stage
trasformarsi: to transform (oneself)
spettacolare: spectacular
premiare: to award (a prize)
esponente: representative
musicisti, *i* (*sg.* il musicista): musicians

Autovalutazione

fare quattro passi: to take a walk
passi: steps
toscana: Tuscan
strumenti: instruments
Colosseo: Colosseum

Autovalutazione generale

inizialmente (*avv.*): in the beginning

QUADERNO DEGLI ESERCIZI

convivere: to live with
perdonare: to forgive
familiari, *i* (*sg.* il familiare): relatives
coraggio: courage, don't be afraid
vivo: alive
separarsi: to separate
***giungla**: jungle
***italo-americana**: Italo-American
***in ginocchio da te**: on my knees before you
***da discoteca**: disco-
***contare**: to count
***sentimentale**: sloppy, sentimental
***prova ad ascoltare**: try listening
****de gustibus non est disputandum**: *taste is personal*, each to his own

Test finale

pirateria: piracy
coloro: those who
scaricare: to download
consumatori: consumers
responsabili (*sg.* responsabile): responsible

4° test di ricapitolazione (unità 9, 10 e 11)
coprirsi: to cover oneself
pericolose: dangerous
mostrare: to show
battesimo: baptism

Test generale finale

letteratura: literature
tecnico: technician
aria condizionata: air conditioned
singola: single
rovine: ruins
terme, *le*: baths

ingresso: entrance
mettersi in testa (di): to get something into one's head
oneste: honest
portineria: doorman's lodge
analfabeta: illiterate
difetto: blemish
capaci (*sg.* capace): able
cesto: basket
galline: hens
adattato: adapted
archeologia: Archaeology
mettere piede: to set foot (into)

CONDIZIONALE
CONDITIONAL

The conditional mood states the possibility under conditions or the probability of an action to come true. It also states uncertainty, doubt, wish, irony, hypothesis at present time.
It has two tenses: *condizionale semplice* (*presente*) and *condizionale composto* (*passato*).

CONDIZIONALE SEMPLICE
PRESENT CONDITIONAL

The conjugations of -*are*, -*ere* have the same suffixes:
-*erei*, -*eresti*, -*erebbe*, -*eremmo*, -*ereste*, -*erebbero*.
If we change the first -*e* of the suffixes to -**i** we will have the suffixes of the verbs in -*ire*.
We have to notice that the third singular and plural persons take a double -**b**, while the first person plural is spelt with double -**m** in order to look different from the Future tense.
Due to the fact that morphologically it derives from the Future tense, it has all its particuliarities.
Avere and *essere* become *avrei*, *sarei*.
The verbs in -*care*, -*gare* take an -**h** in all persons.
The verbs in -*ciare*, -*giare*, -*sciare* drop the -*i* in all persons.
Condizionale composto is formed with *avere*, *essere* in *condizionale semplice* plus the past participle of the verb.

grammar

GLOSSARIO IN ORDINE ALFABETICO
(Glossary in alphabetical order)

The words are listed in alphabetical order, with clear reference to the unit where they appear (we called the introductory unit *unità 0*), to the volume and the section in order to set each term in its own context.

Abbreviations

L.	*book*	Libro dello studente
Q.	*book*	Quaderno degli esercizi
P.c.	*section*	Per cominciare...
C. l'I.	*section*	Conosciamo l'Italia
C. l'I.Gl.	*section*	Glossario di Conosciamo l'Italia
Autov.	*section*	Autovalutazione
App.	*section*	Appendice
Test	*section*	Test finale
Autov. gen.	*section*	Autovalutazione generale
Test gen.	*section*	Test generale finale
1° test	*section*	1° test di ricapitolazione
2° test	*section*	2° test di ricapitolazione
3° test	*section*	3° test di ricapitolazione
4° test	*section*	4° test di ricapitolazione

a bocca aperta, 7, L., A7
a bordo, 5, L., C.l'I.
a Capodanno, 5, L., P.c.3
a casa, 1, L., A1
a cavallo, 5, L., C.l'I.Gl.
a coppie, 3, L., A2
a destra, 1, L., B1
a dire la verità, 2, L., A1
a fiori, 9, L., B3
a libro chiuso, 7, L., P.c.4
a lungo, 7, L., B3
a pagina 187, 0, L., B3
a pezzi, 8, L., C.l'I.
a piedi, 2, L., E1
a posto, 6, L., D1
a pranzo, 2, L., C2
a presto, 1, L., C1
a prima vista, 9, Q.
a quest'ora, 2, L., A5
a righe, 9, L., G1
a Roma, 2, L., A1
a scuola, 2, L., A5
a stasera, 2, Q.
a tavola, 6, L., C.l'I.
a teatro, 2, L., P.c.1
a testa, 5, Q.
a turno, 1, L., F5

abbassare, 8, Q.
abbastanza,1, L., F2
abbellire, 5, L., C.l'I.Gl.
abbigliamento, 3, L., B3
abbinamenti, 6, L., C.l'I.2
abbinare, 0, L., A2
abbonamento, 10, L., C.l'I.
abbonati, 10, L., C.l'I.
abbottonato, 9, L., C2
abbracciare, 3, L., C.l'I.
abbreviazione, 3, L., C.l'I.
abilità, 3, L., G
abitanti, 3, L., G3
abitare, 1, L., C1
abitazione, 2, L., Autov.
abiti, 3, L., C1
abito da sera, 8, L., E4
abituale, 7, L., B3
abituarsi (a), 9, Q.
abitudine, 0, L., App.
accanto, 1, L., A5
accendere, 4, L., B6
accento, 0, L., App.
accessori, 9, L., P.c.1
accettare, 2, L., B2
accidenti, 8, L., B1
accoglienti, 4, L., C.l'I.

accompagnare, 8, L., A8
accompagnati, 7, L., C.l'I.
accordo, 7, L., D2
accorgersi, 9, Q.
aceto, 6, L., C.l'I.Gl.
aceto balsamico, 8, L., C.l'I.
acqua, 3, Q./4, L., D1
acqua in bocca, 9, L., A4
acquistare, 5, L., C.l'I.
acquisto, 2, L., C.l'I.1
ad alta voce, 11, L., B2
ad esempio, 4, L., C.l'I.
ad essere sincero, 10, L., A10
ad un certo punto, 8, L., D1
adattato, 11, Q., Test gen.
adatti, 1, L., D3
addirittura, 7, L., A1
addobbare, 5, L., C.l'I.
addormentarsi, 9, L., A7
adesso, 0, L., C6
adulti, 5, L., C.l'I.
aerei, 0, L., D3
aerobica, 11, L., B3
aeroporto, 2, L., A5
affascinante, 7, L., C.l'I.
affatto, 6, L., C4
affermazioni, 1, L., A1

affettare, 6, L., E1
affittare, 6, Q.
affitto, 2, L., D1
affollati, 5, L., E1
affrontare, 4, L., D5
affumicato, 6, L., C6
africani, 1, Q.
agenda, 2, L., F1
agente, 4, L., B1
agenzia, 1, L., P.c.2
agevolazioni, 5, L., C.l'I.
aggettivi, 0, L., B5
aggiungere, 6, L., C.l'I.1
aggiunta, 3, L., C.l'I.
agitato, 5, L., D4
aglio, 6, L., C6
agosto, 3, L., G1
agricole, 8, L., C.l'I.
agroalimentari, 8, L., C.l'I.
aiutare, 8, L., E1
aiuto, 3, L., C.l'I.Gl.
al bar, 1, L., D4
al binario 8, 5, L., B2
al cento per cento, 3, Q.
al cinema, 2, L., P.c.1
al contrario, 3, L., C.l'I.
al dente, 4, L., A6
al forno, 6, L., C6
al lago, 2, L., A1
al mare, 2, L., B1
al massimo, 6, L., D1
al mese, 2, L., D1
al più presto, 6, Q./10, L., E2
al posto tuo, 11, L., A7
al telefono, 1, Q./3, L., P.c.3
alba, 11, L., C.l'I.
albergo, 0, L., App.
albero, 0, L., B4
albero di Natale, 5, L., C.l'I.
albero genealogico, 6, L., B1
alcuni, 0, L., B3
alfabeto, 0, L., A3
alimentari, 6, L., E3
alimentazione, 8, L., C.l'I.
alimento, 8, L., C.l'I.
all'angolo, 6, L., A6
all'arrabbiata, 6, L., C6
all'estero, 2, L., A1
all'improvviso, 5, L., D1
all'inizio, 4, L., Autov.
all'ora, 5, L., C.l'I.
alla bolognese, 6, L., C3
alla fine, 0, L., E6
alla francese, 1, L., F2
alla grande, 9, Q.

alla moda, 9, L., B5
alla rinfusa, 7, Q./10, L., D4
alla spina, 4, L., D3
allegria, 8, Q., Test
allegro, 1, L., F3
allora, 1, L., C1/4, L., C1
alluminio, 6, L., C.l'I.1
almeno, 3, L., A1
altare, 10, L., F3
alternative, 6, L., C.l'I.
altissimo, 10, L., A1
alto, 0, L., B5
altre, 0, L., A2
altrettanto, 9, L., C.l'I.
altrimenti, 10, L., D5
altrui, 11, L., B4
alzarsi, 4, L., B2
amalfitana, 5, Q., Test
amare, 2, L., P.c.1
amaro, 0, L., App.
amatissimo, 11, L., C.l'I.
ambiente, 6, L., C.l'I.
America, 3, L., G3
americani, 0, L., A6
amica del cuore, 6, L., A1
amichevole, 3, L., C.l'I.
amici, 0, L., A6
amicizie, 9, L., F5
ammettere, 4, L., App.
amministrazione, 10, L., C.l'I.
ammirare, 8, Q.
ammirati, 7, L., C.l'I.
amore mio, 5, L., A4
amore, 0, Q./1, L., P.c.1
analfabeta, 11, Q., Test gen.
analisi, 0, L., App.
anche se, 5, L., A1
anche, 1, L., B1
ancora, 1, L., A1
andare, 1, L., C1
andare a ruba, 11, L., A1
andare avanti, 5, L., A8
andare d'accordo, 10, Q.
andare in onda, 10, L., C6
andare matti (per), 11, L., A1
andare via, 4, L., C1
andata, 5, L., B2
andata e ritorno, 5, L., B2
angolo, 6, L., A6
animale, 8, L., C.l'I.Gl.
anni, 0, L., E2
anniversario, 5, L., C.l'I.
annoiarsi, 9, Q./11, L., C.l'I.
annunciare, 8, L., B4
antenna, 10, L., C5

antico, 4, L., A1
antipasto, 6, L., C2
antipatico, 1, L., F3
anzi, 4, L., D1
anziani, 5, L., C.l'I.
anziché, 5, L., B2
anzitutto, 4, L., B4
aperitivi, 4, L., D3
aperta, 0, L., B5
apertura, 3, L., B1
apparecchio, 10, L., C.l'I.Gl.
appartamento, 2, L., D1
appartenere (a), 4, L., C.l'I.Gl.
appassionare, 11, L., C.l'I.
appena, 2, L., C.l'I.1
appendere, 4, L., App.
appendice, 0, L., B3
apprezzare, 6, L., C.l'I.
apprezzati, 6, L., E3
appuntamento, 2, L., F1
appunti, 3, L., F1
appunto, 3, L., A1
aprile, 3, L., G1
aprire, 1, L., A1
arabi, 6, L., C.l'I.
arancia, 4, L., D3
aranciate, 8, Q.
archeologia, 11, Q., Test gen.
archeologo, 0, L., App.
architetto, 5, L., A6
architettura, 7, Q., Test
Argentina, 0, L., A5
argentini, 0, L., C4
argomento, 3, L., C.l'I.
aria condizionata, 11, Q., Test gen.
armadio, 3, L., C1
armati, 5, L., C.l'I.Gl.
aroma, 4, L., C.l'I.
arrabbiarsi, 9, L., D2
arrabbiata, 6, L., C6
arredamento, 10, Q.
arricchire, 6, L., C.l'I.
arrivare, 1, L., A1
arrivederci, 1, L., D2
arrivederLa, 1, L., D2
arrivo, 4, Q./5, L., B2
arrosto, 5, L., C.l'I.
arte, 0, L., A2
articoli, 9, L., C.l'I.
articolo, 0, L., D2/10, L., D2
artigianale, 8, L., C.l'I.
artista, 7, L., C.l'I.Gl.
artistico, 6, L., C.l'I.Gl.
ascensore, 2, L., D1
ascesa, 5, L., C.l'I.

ascoltare, 0, L., A3
ascolto, 3, L., G4
aspettare, 1, L., B1
aspetto, 1, L., F3/8, L., C.l'I.
aspirina, 3, Q.
assaggiare, 10, Q.
assaporare, 8, L., C.l'I.
assegnati, 5, L., C.l'I.
assistere, 11, L., E6
assolutamente, 8, L., E4
assoluto, 8, L., C.l'I.
assomigliare, 6, L., C.l'I.Gl.
assumere, 1, L., A2
assunzione, 5, L., C.l'I.Gl.
atmosfera, 2, L., C.l'I.3
attenti, 5, Q./8, L., C.l'I.
attenzione, 0, L., D1
attesa, 5, L., C.l'I.
attimo, 6, L., Autov.
attiva, 5, L., C.l'I.
attività, 0, L., A4
attore, 0, L., App.
attrarre, 2, L., App.
attraversare, 7, L., Autov.
attraverso, 7, L., C.l'I.
attrice, 7, L., P.c.2
attualità, 10, L., C1
augurare, 5, L., A3
auguri, 7, Q./10, L., B3
aula, 4, L., B3
aumentare, 8, L., C.l'I.
aumento, 5, L., D2
ausiliare, 4, L., A6
Australia, 1, Q.
australiano, 0, L., C2
austriaci, 0, Q., Test/6, L., C.l'I.
auto, 0, L., App.
autobiografico, 7, L., C.l'I.
autobus, 0, L., D2
automatiche, 2, L., C.l'I.1
automobilismo, 10, L., C3
autore, 11, L., E2
autostrada, 11, L., B1
autovalutazione, 1, L., Autov.
autunno, 3, L., G1
avanti Cristo (a.C.), 6, L., C.l'I.Gl.
avanti, 5, L., A8
avere, 0, L., E2
avere bisogno (di), 6, L., C2
avere fame, 4, L., D1
avere fretta, 6, L., D1
avere intenzione (di), 9, L., G4
avere paura, 5, Q.
avere ragione, 1, L., A1
avere sete, 4, L., D4

avere voglia (di), 2, L., A1
avvenimenti, 4, L., C3
avvenire, 7, L., C4
avventura, 7, L., D2
avvenuto, 4, L., B1
avverbi, 4, L., C4
avviamento, 3, L., C.l'I.
avvicinarsi, 9, Q.
avvocato, 3, L., Autov.
azienda, 4, Q./9, L., C.l'I.
azione, 0, L., D6
azzurro, 0, L., D6
Babbo Natale, 5, L., C.l'I.
babbo, 5, L., C.l'I.
baci, 3, L., C.l'I.
baciare, 3, L., C.l'I.
bacioni, 3, L., C.l'I.
bacon, 6, L., C.l'I.Gl.
bagagli, 5, L., E1
bagno, 0, L., D6
balcone, 2, L., D1
ballare, 2, L., A5
bambini, 1, Q., Test/5, L., C.l'I.
banali, 11, L., C.l'I.
banane, 8, L., A1
banca, 2, L., E1
banco, 4, L., C.l'I.
bancomat, 7, Q.
bandiera, 6, L., C.l'I.
bar, 1, L., D4
barba, 9, Q.
Barcellona, 2, L., A1
barche, 5, L., C.l'I.Gl.
barista, 0, L., App.
basato su, 9, L., C.l'I.
base, 6, L., E3
basilica, 7, L., Autov.
basilico, 6, L., C.l'I.
basso, 1, L., B3
bastare, 8, L., C1
battere, 7, L., C.l'I.
batteria, 11, L., E1
battesimo, 11, Q., 4° test
battute, 10, L., D2
beata, 4, Q.
Befana, 5, L., C.l'I.
Belgio, 0, Q.
bella, 0, L., D4
bellezza, 7, L., C.l'I.
Belpaese, 11, L., C.l'I.
ben arrivata, 1, L., C1
bene, 1, L., A1
benvenuti, 0, L.,
benzina, 5, Q.
bere, 2, L., A1

bevanda, 4, L., C.l'I.
bianco, 4, L., D3
bibite, 4, L., D3
biblioteca, 1, L., D4
bicchiere, 0, L., E8
bici, 6, L., B3
bicicletta, 2, L., C.l'I.3
biglietti, 2, L., B1
biglietto di auguri, 10, Q.
binario, 5, L., B1
biologici, 8, L., C.l'I.
biondi, 1, L., B1
biro, 11, L., B2
birra, 2, Q., 1° test/4, L., D3
birreria, 3, Q.
biscotti, 6, L., D2
bisogna, 3, L., C.l'I.
bisogno, 5, L., C.l'I.Gl.
bistecca ai ferri, 6, L., C2
bistecca, 6, L., C2
blu, 1, Q./3, L., A7
bocca, 1, L., F4
bolognese, 6, L., C3
borsa, 0, L., B3
bottiglia, 0, L., E8
braccio, 1, L., F4
brani, 5, L., B2
Brasile, 6, Q.
brasiliana, 0, L., C4
brava, 1, L., A1
breve, 3, L., G5
brevemente, 5, L., A5
brioche, 6, L., Autov.
bruna, 1, L., F2
bruschetta, 6, L., C6
brutto, 1, L., F3
buca delle lettere, 3, L., P.c.1
bufala, 8, L., C.l'I.
bugia, 4, L., B7
buon anno, 5, L., A1
buon caffè, 4, L., C.l'I.
buon Natale, 5, L., A1
buon pomeriggio, 1, L., D2
buon viaggio, 5, L., A1
buonanotte, 1, L., D2
buonasera, 1, L., D2
buone feste, 5, L., A1
buongiorno, 0, L., A6
buono (buon), 1, L., D2
burro, 6, L., D1
busta, 3, L., P.c.1
c'è, 1, L., B1
cabina telefonica, 3, L., C.l'I.
cabina, 3, L., C.l'I.
cadere, 0, L., App./5, L., C.l'I.

caffè corretto, 4, L., D3

caffè macchiato, 4, L., D1

caffè, 0, L., E7

Caffè, 4, L., A1

caffelatte, 4, L., D3

caffettiere, 4, L., C.l'I.

caimano, 7, L., C.l'I.

calamità, 3, L., C.l'I.

calciatori, 7, Q.

calcio, 0, L., D2

calcolare, 9, Q.

calda, 3, Q./4, L., C.l'I.

caldo, 2, Q.

calma, 7, Q.

calmo, 5, L., D2

calzature, 9, L., B3

calze, 5, L., C.l'I.

calzone, 6, L., C6

cambiare, 1, Q., Test/4, L., B2

cambiarsi, 9, L., D2

camera da letto, 2, L., D1

camera, 2, L., D1

cameriere, 4, L., D1

camerino, 9, L., B3

camicetta, 9, L., B2

camicia, 9, L., C1

camino, 3, L., C1

camminare, 4, L., B2

camomilla, 4, L., D3

campagna, 2, L., C.l'I.3

campanile, 3, Q.

campionato, 4, L., B7

campione, 0, Q.

campo, 3, L., Autov.

canadese, 1, Q.

canale, 3, L., D1

candidato, 7, L., C.l'I.

cane, 0, Q.

canone, 10, L., C.l'I.

cantanti, 2, L., A1

cantare, 5, Q./11, L., C.l'I.

cantautori, 11, L., C.l'I.

canzone, 0, L., D6

capaci, 11, Q., Test gen.

capelli, 1, L., B1

capi firmati, 9, L., C.l'I.

capi, 9, L., C1

capire, 1, L., P.c.2

Capodanno, 5, L., P.c.3

capolavori, 7, L., C.l'I.

cappelli, 9, Q.

cappotto, 9, L., C1

cappuccini, 4, L., C.l'I.

cappuccino, 0, L., A2

cappuccio, 4, L., C.l'I.

carabinieri, 3, L., C.l'I.

carattere, 1, L., F3

caratteristiche, 10, L., G2

caratterizzato, 6, L., C.l'I.Gl.

carbone, 5, L., C.l'I.

carino, 1, L., A1

carissimo, 3, L., C.l'I.

carne, 6, L., C2

Carnevale, 5, L., E1

caro, 1, L., B1/9, L., E1

carriera, 2, L., A1

carrozza, 5, L., C.l'I.

carta di credito, 3, Q./5, L., C.l'I.

carta igienica, 8, L., H2

carte, 4, L., C.l'I.

cartina, 1, L., C.l'I.

cartoline, 4, L., A6

cartoni animati, 9, Q./10, L., C1

casa, 0, L., A5

case di moda, 9, L., C.l'I.

caso, 3, L., C.l'I.

cassa, 4, L., C.l'I.

cassetta per le lettere, 3, L., A1

cassetta, 10, L., B1

cassetto, 3, L., A5

castani, 1, L., B2

castello, 3, Q.

categorie, 10, L., C.l'I.

cattivi, 5, L., C.l'I.

cattolica, 5, L., C.l'I.

causa, 2, L., C.l'I.3

cavalieri, 5, L., C.l'I.Gl.

cavallo, 5, L., C.l'I.Gl.

cavatappi, 6, L., E2

cavolo, 8, L., H2

ce l'hai, 8, L., G1

ce n'è, 8, L., G2

celebrare, 5, L., C.l'I.

celebre, 7, L., C.l'I.Gl.

celeste, 7, L., B5

cellulare, 3, L., P.c.1

cena, 0, L., A5

cenare, 2, Q., 1° test/3, L., B1

cenone, 5, L., E1

centesimi, 5, L., B2

centinaio, 10, L., F1

centrale, 3, Q.

centri commerciali, 8, Q./9, L., G3

centro, 0, L., A6

cerca di verificare, 4, L., B1

cercare, 1, Q./2, L., A6

cereali, 6, L., D2

certamente, 3, Q.

certificare, 8, L., C.l'I.

certo, 2, L., B1

cesto, 11, Q., Test gen.

che cosa, 1, L., A7

che, 0, L., D2/0, L., E2/1, L., A1

chef, 6, L., C6

chi, 0, L., A6

chiacchierare, 4, L., C.l'I.

chiamare, 3, L., A1

chiamarsi, 0, L., E2

chiamata, 3, L., C.l'I.

chiarire, 1, L., A6

chiaro, 7, L., B7/9, L., F1

chiavi, 0, L., A5

chiedere, 0, L., E6

chiedersi, 9, Q.

chiesa, 3, L., A6

chili, 4, L., C.l'I.Gl.

chilometri (km), 5, L., C.l'I.

chirurgo, 0, L., App.

chissà, 5, Q.

chitarra, 4, Q./11, L., E1

chiudere, 1, L., A1

ci sono, 0, L., D1

ci vediamo, 1, L., D2

ci, 2, L., B2

ciao, 0, L., A5

cibo, 4, L., C.l'I.Gl.

ciclone, 7, L., C.l'I.

cielo, 5, L., D4

cileno, 7, L., C.l'I.

Cina, 6, L., C.l'I.

cinema, 0, L., A2

cinematografica, 7, Q.

cinese, 10, L., A8

cintura, 4, Q.

ciò, 8, L., C.l'I.

cioccolata, 4, L., D3

cioccolatini, 7, L., A7

cioccolato, 4, L., D3

cioè, 1, L., A1

circa, 3, Q., Test/4, L., B3

circolazione, 4, L., C3

circostanze, 11, L., B1

citare, 7, L., C.l'I.

città, 0, L., App./1, L., C.l'I.

cittadini, 3, L., C.l'I.

civile, 3, L., C.l'I.Gl.

classe, 0, L., B3/5, L., B2

classi, 6, L., C.l'I.

classica, 1, Q./9, L., B5

classifiche, 11, L., C.l'I.

cliente, 8, L., C.l'I.

clientela, 9, L., C.l'I.

clima, 0, L., App.

coccolare, 10, L., E

codice, 3, L., C.l'I.

cogliere, 2, L., App.
cognome, 0, L., D7
coinvolgere, 11, L., B4
colapasta, 6, L., E2
colazione, 2, L., A7
collaborare, 7, L., C.l'I.
collaborazione, 8, L., E2
collegare, 5, L., C.l'I.
colleghi, 0, L., A5
collezione, 11, L., E5
colloquio, 4, L., C1
colonna sonora, 7, L., C.l'I.
colonne, 1, L., B1
colorata, 8, Q., Test/9, L., C.l'I.
colore, 2, L., C1
colpa, 6, L., A4
coltello, 6, L., C1
com'è?, 1, L., A4
combinazioni, 0, L., D4
come al solito, 4, Q.
come mai?, 4, L., A6
come no, 5, L., A4
come stai?, 1, L., A1
come va?, 1, L., D2
come, 0, L., B3/0, L., E6
comfort, 5, L., C.l'I.
comico, 7, L., C.l'I.
cominciare, 0, L., App.
commedia, 7, L., C1
commentare, 10, L., C3
commenti, 10, Q.
commerciale, 3, L., A6
commercio, 4, L., C1
commessa, 9, L., A1
comodamente, 5, L., C.l'I.
comodità, 5, L., C.l'I.
comodo, 2, L., D1
compagnia, 3, Q., Test/7, L., B5
compagno, 0, L., C6
compleanno, 2, L., F1
completa, 4, L., B6
completare, 0, L., C2
completi, 9, L., C.l'I.
complimenti, 1, L., C1
comporre, 11, L., E2
comportamento, 6, L., A3
comportarsi, 7, L., A3
compositore, 7, L., C.l'I.
composto, 5, L., C3
comprare, 2, L., C.l'I.1
comprensione, 9, L., G1
compresa, 3, L., C.l'I.Gl.
compreso, 5, L., B2
computer, 5, L., Autov.
comunale, 3, L., A6

comune, 1, L., D1
comunicare, 3, L., P.c.2
comunque, 3, L., C.l'I.
con piacere!, 2, L., B2
con, 0, L., D3
concedere, 4, L., App.
concerti, 2, L., A1
concludere, 3, L., C.l'I.
conclusa, 7, L., B3
concorso, 10, L., A9
condimento, 6, L., C.l'I.1
condizionale, 11, L., A6
conduttore, 10, L., P.c.3
conferenze, 6, L., A6
conferma, 5, L., C.l'I.
confermare, 2, L., P.c.3
confermata, 11, L., B4
confezione, 8, L., A1
confrontare, 10, L., C3
congiuntivo, 9, L., E2
congratulazioni, 10, L., A9
coniugazione, 1, L., A6
conoscenze, 6, L., A6
conoscere, 0, L., A2
conquistare, 6, L., C.l'I.
consegnare, 8, L., E1
conseguenza, 3, L., C.l'I.
conservare, 8, L., C.l'I.
conservarsi, 8, L., C.l'I.
considerare, 6, L., C.l'I.
considerarsi, 9, Q.
consigliare, 3, L., P.c.3
consiglio, 4, L., C.l'I./10, L., C.l'I.
consonanti, 0, L., E7
consultare, 0, Q./5, L., B6
consumare, 8, Q.
consumate, 4, L., C.l'I.
consumatori, 11, Q., Test
consumazione, 4, L., C.l'I.
consumo, 4, L., C.l'I.
contanti, 9, L., B2
contare, 11, Q.
contemporanee, 7, L., B3
contenere, 5, L., C.l'I.
contenitore, 8, L., F1
contenta, 1, L., A1
contenuto, 8, L., F1
contesto, 9, L., F5
continente, 10, L., C1
continuamente, 8, L., B1
continuare, 1, L., E3
conto, 6, Q.
contorno, 6, L., C2
contrario, 1, L., Autov.
contratto, 7, L., A1

contro, 10, L., G2
controllare, 1, L., Autov.
controllata, 8, L., C.l'I.Gl.
controllo, 5, L., B1
convalida, 2, L., C.l'I.1
convalidare, 2, L., C.l'I.1
convenienti, 8, L., C.l'I.
conversazione, 10, L., C1
convincere (a), 8, L., P.c.3
convivere, 11, Q.
coordinato, 3, L., C.l'I.
coperto, 5, L., D4
copia, 8, Q./10, L., C.l'I.
coppa, 4, L., D3
coppia, 0, L., A2
coprire, 5, L., C.l'I.
coprirsi, 11, Q., 4° test
coraggio, 11, Q.
cornetto, 4, L., D1
corpo, 3, L., C.l'I.Gl.
correggere, 4, L., B6
correre, 4, L., B2
corretto, 0, L., E7
corrispondere, 0, L., C1
corsa, 2, L., C.l'I.1
corso, 0, L., A6
cortesia, 1, L., E2
corti, 1, L., F3
cosa vuol dire, 8, L., G1
cosa, 0, L., A1/0, L., A5
cosce, 8, L., C.l'I.
così e così, 1, L., D2
così, 1, L., D2
cosiddetta, 5, L., E1
cosmetici, 8, L., Autov.
costare, 2, L., C.l'I.4
costiera, 5, Q., Test/10, L., A9
costituire, 11, L., C.l'I.
costo, 3, L., G3
costoso, 2, L., C.l'I.3
costretti, 10, Q., Test
costruire, 0, L., C4
costume da bagno, 7, L., B1
costume, 10, Q.
costumi, 5, L., C.l'I.
cotone, 9, L., B2
cotto, 4, Q./6, L., C8
cottura, 6, L., D4
cravatta, 9, L., C1
creare, 4, L., C.l'I.Gl.
creati, 5, L., C.l'I.
credere, 3, L., A1
credito, 3, Q.
crema, 4, L., C.l'I.Gl.
cremoso, 8, L., C.l'I.

crescere, 4, L., App.
crisi, 0, L., App.
critica, 5, Q./7, L., C1
crociera, 5, L., E1
cronaca, 10, L., C.l'I.
cronologico, 8, L., G1
cruciverba, 1, Q., Test
crudo, 4, L., D1
cubetti, 6, L., C.l'I.1
cucchiaini, 4, Q.
cucchiaio, 6, L., C1
cucina, 0, L., A5
cucinare, 5, L., A6
cuffie, 11, L., E1
cugino, 6, L., A6
culturale, 6, L., C.l'I.Gl.
cuocere, 6, L., D4
cuore, 6, L., A
cura, 4, Q.
cuscini, 3, L., C2
d'accordo!, 2, L., B2
d'affitto, 2, L., D1
d'altra parte, 3, L., C.l'I.
d'oro, 10, Q.
da, 1, L., A1
da 50 pollici, 10, L., C5
da bar, 4, L., C.l'I.
da discoteca, 11, Q.
da domani, 5, L., A8
da grande, 5, L., A6
da mangiare, 6, L., D4
da me, 2, L., A1
da nessuna parte, 6, L., A1
da qualche parte, 5, L., A1
da solo, 2, L., E1
da tempo, 1, L., B1
da un momento all'altro, 11, L., B4
da vicino, 3, L., C.l'I.
da vista, 9, Q.
dal meccanico, 3, L., C3
dal vivo, 11, L., E4
dappertutto, 5, L., E1
dare, 1, L., C3
dare del Lei, 1, L., E2
dare del tu, 1, L., E2
dare un'occhiata, 11, L., B1
dare una mano, 3, Q.
data, 4, L., C2
dati, 0, L., D3
davanti, 3, L., C1
davvero, 0, L., E2
deboli, 5, L., D2
decaffeinato, 4, L., D3
decidere, 4, L., B6
decidersi, 9, Q.

decine, 10, L., C.l'I.
decisione, 4, Q./8, L., D4
deciso, 4, L., D1
decodificatore, 10, L., C.l'I.
dedicare, 10, L., C.l'I.
definizioni, 2, Q., Test
del genere, 8, L., D4
del tutto, 6, L., C.l'I.
delicato, 8, L., C.l'I.
deludere, 4, L., App.
denominazione, 8, L., C.l'I.
dente, 4, L., A6
dentifricio, 8, L., F1
dentista, 4, L., B1
dentro, 3, L., C1
descrivere, 1, L., F6
descrizione, 2, L., D3
deserta, 7, L., B5
deserto, 7, L., C.l'I.
desiderare, 6, L., C5
desiderata, 3, L., C.l'I.
desiderio, 6, L., C.l'I.
designer, 5, L., C.l'I.
desinenze, 0, L., B3
destinatario, 3, L., C.l'I.
destinazione, 5, L., E1
destra, 1, L., B1
determinativo, 0, L., D2
detersivo, 8, L., H2
dettagliatamente, 9, L., E2
deve molto, 9, L., C.l'I.
di, 0, L., A3
di che colore? 9, L., B3
di chi è?, 3, L., E1
di domenica, 5, L., C.l'I.
di dove è?, 0, Q.
di fronte (a), 3, L., Autov.
di meno, 8, L., A1
di moda, 9, L., B3
di niente, 3, L., F1
di nuovo, 0, L., C2
di più, 2, Q./5, L., A8
di seconda mano, 4, L., D5
di sera, 3, L., C.l'I.
di solito, 1, Q./2, L., A3
di tutto, 1, Q., Test/8, L., C.l'I.
dialogo, 0, L., A5
diario, 1, L., B2
dicembre, 3, L., G1
dieta, 8, L., C.l'I.
dietologo, 11, L., B3
dietro, 3, L., C1
difendere, 4, L., App.
difendersi, 9, L., D4
difetto, 11, Q., Test gen.

differenze, 1, L., E2
differire, 5, L., C.l'I.
difficile, 0, L., E7
difficoltà, 3, L., C.l'I.Gl.
diffondersi, 6, L., C.l'I.
diffusione, 10, L., C.l'I.
digitale, 10, L., C1
digitare, 3, L., C.l'I.
dimagrire, 11, L., B3
dimenticare, 4, Q./5, L., App.
dimenticarsi (di), 9, Q.
diminuzione, 5, L., D2
dipendere, 4, L., B2
dire, 1, L., F5
diretta, 10, L., A1
direttamente, 5, L., Autov.
diretto, 5, L., C.l'I.
direttore, 1, L., P.c.2
direttrice, 4, L., C1
dirigere, 4, L., App.
disaccordo, 7, L., D2
disappunto, 8, L., B1
dischi, 5, Q., 2° test
discoteca, 1, L., D4
discount, 8, L., C.l'I.
discussioni, 4, Q.
discutere, 4, L., B6
disegnare, 2, L., G2
disegni, 0, L., C4
dispiacere, 2, L., B1/10, L., B1
disponibilità, 9, L., G3
disporre (di), 10, L., C.l'I.
disposto, 9, L., B5
distanza, 3, Q.
distanze, 5, L., C.l'I.
distinguere, 4, L., App.
distrarre, 2, L., App.
distrattamente, 10, Q., Test
distratto, 7, L., A4
distruggere, 4, L., App.
distrutto, 9, L., A1
disturbare, 3, L., C.l'I.
dito, 1, L., F4
divano, 3, L., C1
diventare, 4, L., B2
diversamente, 7, Q.
diversi, 3, L., C.l'I.
divertente, 4, L., A1
divertirsi, 9, L., A1
dividere, 4, L., App./10, L., C.l'I.
dividersi, 9, L., B4
divorzio, 7, L., C.l'I.
dizionario, 6, L., E1
doccia, 0, L., E8
docenti, 9, L., F1

documentari, 10, L., A7
documenti, 8, Q.
dolci, 4, L., D3
dollari, 7, L., C.l'I.
domande, 0, L., E6
domani, 1, L., A7
domattina, 10, L., E3
domenica, 2, L., F1
domestico, 4, L., C.l'I.
doni, 5, L., C.l'I.
donna, 1, L., B2
dopo che, 5, L., C1
dopo le 10, 3, L., C.l'I.
dopo pranzo, 4, L., D1
dopo venti minuti, 1, L., A1
dopo, 1, L., A1
dopodomani, 2, Q.
doppia, 0, L., A3
dormire, 1, L., A6
dormita, 9, Q.
dottore, 3, L., C.l'I.
dove, 0, L., E2
dovere, 1, L., F5
dovuto a, 8, L., C.l'I.
dozzina, 8, L., C3
drammatizzare, 4, L., D4
dritto, 10, L., F1
dubbio, 3, L., D2
dunque, 3, L., C.l'I.
duomo, 3, Q.
durante, 5, L., C.l'I.
durare, 4, L., B2
duro, 7, L., B7
e così via, 3, L., C.l'I.
è da tempo che..., 2, L., B1
eccetera, 0, L., App.
eccezionali, 7, L., C.l'I.Gl.
eccezioni, 0, L., App.
ecco, 0, L., D2
economia, 4, L., C1
economica, 6, L., C.l'I.
edicola, 1, L., B2
egizi, 6, L., C.l'I.
elegante, 9, L., C2
elegantemente, 9, L., A7
eleganza, 9, L., C.l'I.Gl.
elementare, 4, L., C2
elementi, 4, L., C5
elencati, 11, L., P.c.1
elettronica, 3, L., P.c.1
eliminare, 5, L., C.l'I.
emergenza, 3, L., C.l'I.
energetico, 8, L., C.l'I.
enfasi, 0, L., App.
enorme, 6, L., A6

enti,, 3, L., C.l'I.
entrambi, 7, L., C.l'I.
entrare, 2, L., C1
entrata, 3, Q.
entusiasmo, 7, Q.
entusiasta, 8, Q.
Epifania, 5, L., E1
episodio, 10, L., C4
eppure, 7, L., C1
equilibrato, 8, L., C.l'I.
ereditare, 9, L., C.l'I.
errore, 0, L., B2
esagerare, 9, L., F1
esagerato, 11, L., C2
esame, 2, L., C3
esattamente, 4, Q., Test
esatte, 2, L., C.l'I.1
escludere, 4, L., App.
esempio, 0, L., C4
esercizio, 0, L., D7
esigenti, 10, L., C.l'I.
esigenza, 5, L., C.l'I.
esistenti, 2, L., C.l'I.3
esistere, 1, L., E2
esperienza, 5, Q.
esperienze, 8, L., E6
esplodere, 4, L., App.
esponente, 11, L., C.l'I.
esporre, 2, L., App.
esportare, 6, L., C.l'I.
esportazioni, 9, L., C.l'I.
espressioni, 1, L., C1
espresso, 0, L., A2
esprimendo, 3, L., D3
esprimere, 3, L., D2
esprimersi, 9, L., A7
essere, 0, L., A1
essere abituato (a), 7, Q.
essere d'aiuto, 8, L., E1
esso, 10, L., B3
estate, 3, L., G1
esterno, 4, L., C.l'I.Gl.
estero, 2, L., A1
estive, 5, L., C.l'I.
estranea, 3, L., Autov.
età, 1, L., F6
etnica, 11, L., C.l'I.
etruschi, 6, L., C.l'I.
etti, 8, L., A
euro, 2, L., D1
Europa, 5, L., A1
europea, 6, Q./8, L., C.l'I.
Eurostar, 5, L., B2
evento, 7, L., B2
eventuali, 4, Q.

evidenti, 11, L., C.l'I.
evitare, 3, L., C.l'I.
extralarge, 9, L., Autov.
extravergine, 6, L., C.l'I.1
fa, 4, L., A6
fa eccezione, 10, L., E6
fa freddo, 5, L., D1
fa il filosofo, 10, L., A4
fa male, 3, Q.
fa schifo!, 10, L., C1
facile, 0, L., A6
facilità, 9, Q.
facilitazione, 5, L., C.l'I.Gl.
facilmente, 9, Q.
false, 1, L., A1
fame, 0, Q./4, L., D1
fame da lupi, 6, L., C2
famiglia, 0, L., D6
famigliare, 4, L., C.l'I.Gl.
familiari, 11, Q.
famoso, 1, L., B3
fan, 10, L., C2
fantascienza, 7, L., D2
fantasia, 6, L., C.l'I.Gl.
fantastica, 6, L., A6
farcito, 5, L., C.l'I.
fare, 1, L., P. c. 3
fare colazione, 2, L., A7
fare gli auguri, 10, L., B3
fare il filo (a), 6, L., A4
fare la spesa, 5, L., E1
fare merenda, 6, L., D1
fare parte di, 1, L., P.c.3
fare spese, 2, L., B3
fare tardi, 2, L., C2
fare visita, 6, Q.
farfalle, 6, L., C6
farmacia, 1, L., A1
farsi la barba, 9, Q.
farsi male, 9, Q.
fascicolo, 10, L., C.l'I.Gl.
fastidio, 10, L., A4
fatti, 9, Q.
fatto a mano, 8, L., C.l'I.Gl.
favore, 2, L., C2
febbraio, 3, L., G1
febbre, 10, Q.
fedele, 8, Q.
felici, 7, L., B5
felicità, 8, Q., Test
femminile, 0, L., B3
fenomenale, 7, L., C.l'I.
ferie, 5, Q., Test
ferma, 10, Q.
fermarsi, 5, L., C.l'I.

fermata, 0, Q./1, L., C1
Ferragosto, 5, L., E1
ferroviaria, 5, L., C.l'I.
festa, 2, L., D1
festa di compleanno, 9, L., A1
festeggiare, 5, L., A1
festival, 4, L., C3
fette, 6, L., D1
fette biscottate, 6, L., D1
fettuccine, 6, L., C6
fiaba, 10, L., D1
fidanzato, 1, L., B1
fidarsi (di), 9, L., A4
fiducia, 10, L., D7
figlia, 3, Q./6, L., A4
figlio, 6, L., B2
figurati, 3, L., F1
fila, 10, L., F1
filetto, 6, L., C6
film, 0, L., App.
filosofia, 6, Q.
filosofo, 10, L., A4
finale, 0, L., E8/10, L., C1
finalmente, 2, Q., 1° test/5, L., A6
finanziati, 10, L., C.l'I.
fine, 0, L., E6
fine settimana, 2, L., A1
finestra, 0, L., B4
finezza, 9, L., C.l'I.Gl.
finire, 1, L., A1
fino, 3, L., B1
finora, 6, L., E3
fioraio, 8, L., F2
fiori, 6, Q./8, L., Autov.
firmare, 9, L., C.l'I.
firme, 9, L., C.l'I.
fissa, 3, L., C.l'I.
focaccia, 6, L., C.l'I.
foglie, 3, Q.
fondato, 10, L., C.l'I.
fontana, 1, L., Autov.
forchetta, 6, L., C1
forestali, 8, L., C.l'I.
forma di cortesia, 1, L., E2
formaggi, 6, L., C6
formale, 1, L., D2
formare, 0, L., D4
formazione, 4, L., A5
forme, 0, L., App./8, L., C.l'I.
formulare, 2, L., G3
fornire, 5, L., C.l'I.
forno, 6, L., C6
forse, 1, L., B2
forte, 7, L., B1
forti, 4, L., C.l'I.

fortuna, 2, L., C.l'I.3
fortunata, 1, L., P.c.2
forza, 10, L., C1
foto, 0, L., A1
fotografie, 10, L., A10
fra, 1, L., P.c.3
fra 10 minuti, 3, L., F1
fra l'altro, 9, L., C.l'I.
francese, 0, Q./1, L., C3
franchising, 9, L., C.l'I.
Francia, 0, Q./2, L., A1
francobollo, 3, L., P.c.1
frasi, 0, L., C4
fratelli, 0, L., E2
fratellino, 6, L., B3
frati, 4, L., C.l'I.
freddo, 4, L., D3
frequentare, 8, Q./10, L., A9/11, L., B3
frequentate, 6, L., C.l'I.
fresca, 6, L., C6
fretta, 4, L., A1
friggere, 6, L., E1
frigorifero, 7, L., B3
fronte, 1, L., F4
frutta, 6, L., C6
frutti, 6, L., C6
fruttivendolo, 8, L., F2
fumare, 1, Q./8, L., A7
funghi, 6, L., C2
funzionare, 5, L., C.l'I.
fuoco, 0, L., App.
fuori, 4, L., E2
furto, 4, L., B1
fusilli, 6, L., C.l'I.2
futura, 5, L., C3
futuro, 5, L., A6
G. P. (Gran Premio), 10, L., C3
galleria, 3, Q.
galline, 11, Q., Test gen.
gamberi, 8, L., F2
gara, 5, L., C.l'I.Gl.
garage, 3, Q.
garanzia, 8, L., C.l'I.
gatto, 0, L., A5
gel, 8, Q.
gelato, 0, L., A5
gelosa, 6, Q.
generale, 3, L., C3
generalmente, 3, L., C.l'I.
genere, 7, L., D2
geniali, 7, L., D1
genio, 7, L., C.l'I.
genitori, 2, L., A7
gennaio, 3, L., G1

gente, 2, L., C.l'I.4
gentile, 1, L., P.c.2
genuini, 8, L., C.l'I.
geografica, 8, L., C.l'I.
Germania, 0, Q./2, L., E1
gestito da, 3, L., C.l'I.
ghiaccio, 4, L., C.l'I.
già, 1, L., B1
giacca da donna, 9, L., C1
giacca, 9, L., C1
gialli, 7, L., D2
giallo, 0, L., E7
giapponese, 3, Q.
giardino, 1, Q.
ginnastica, 5, Q., 2° test
ginocchio, 8, L., C.l'I.Gl.
giocare a carte, 4, L., C.l'I.
giocare, 2, L., P.c.1
giocatori, 1, Q.
Giochi Olimpici, 4, L., C3
giochi, 4, L., C3
gioia, 8, L., B1
gioielli, 9, L., C.l'I.
giornalaio, 3, L., C.l'I.
giornale, 0, L., B2
giornaliero, 4, L., C.l'I.
giornalista, 2, L., A2
giornata, 0, Q./1, L., B2
giorno, 1, L., A1
giorno e notte, 5, L., A8
giostra, 5, L., C.l'I.
giovane, 0, L., D4
giovanile, 9, L., C.l'I.
giovedì, 2, L., F1
girare, 2, L., C2/7, L., A4
giro, 5, L., A1
gite, 2, L., A1
giù, 8, L., E1/6, Q.
giubbotto, 9, L., C1
giugno, 3, L., G1
giungere, 4, L., B2
giungla, 11, Q.
giustificare, 6, L., A3
giusto, 0, L., A5
globale, 0, L., D6
gloriosi, 7, L., C.l'I.
glossario, 2, L., C.l'I.Gl.
gnocchi, 6, L., C.l'I.2
gnomo, 0, L., App.
godere, 4, L., C.l'I.
gola, 10, L., E
golf, 9, L., E1
golfo, 3, Q.
gonna, 0, L., E7
governo, 10, L., C.l'I.

graduale, 5, L., D2
grammaticale, 0, L., App.
grammi (gr.), 6, L., C.l'I.1
grande, 1, L., B5
grande schermo, 7, L., C.l'I.
grasso, 8, L., C.l'I.
grattugia, 6, L., E2
grattugiare, 6, L., E1
grattugiato, 6, L., C.l'I.1
gratuita, 3, L., C.l'I.
gratuitamente, 10, L., C.l'I.
grave, 2, L., C.l'I.3
grazie, 1, L., C1
grazie a, 6, L., A6
grazie mille, 3, L., F1
grazie tante, 3, L., F1
greca, 0, L., A3
grigio, 6, L., C6
grosse, 8, L., C.l'I.
gruppo, 3, L., Autov.
guadagnare, 8, Q., 3° test
guanti, 3, L., A5
guardare, 1, L., A7
guerra, 5, L., C.l'I.
guidare, 6, Q.
gusto, 0, L., A5
gustoso, 8, L., C.l'I.
ho molto da fare, 2, L., F1
idea, 0, Q./1, L., B3
ideale, 2, L., D3
idolo, 11, L., C.l'I.
idratante, 8, Q.
ieri, 4, L., A1
ignoti, 7, L., C.l'I.
il meglio, 8, L., A1
illuminate, 5, L., E1
illustrazioni, 4, L., D1
imbucare, 3, L., A1
immaginare, 1, L., D3
immagini, 0, L., B1
imparare, 1, Q./4, L., Autov.
impazienti, 7, L., B5
impegnate, 9, L., D4
impegni, 2, L., F1
impensabile, 4, L., C.l'I.
imperativo, 10, L., D3
imperatore, 7, L., C.l'I.
imperfetto, 7, L., A6
imperi, 9, L., C.l'I.
impersonali, 8, L., C.l'I.
impiegato, 5, L., B6
importante, 1, L., P.c.1
importanza, 11, L., E4
importare, 8, L., A1
importato, 4, L., C.l'I.

impossibile, 2, L., F1
improvvisa, 3, L., C.l'I.Gl.
in altri termini, 3, L., C.l'I.
in arrivo, 5, L., B2
in assoluto, 8, L., C.l'I.
in aumento, 5, L., D2
in autobus, 2, L., D1
in base a, 6, L., E3
in basso, 5, L., A8
in bianco e nero, 10, L., C.l'I.
in breve, 3, L., G5
in buona parte, 8, L., C.l'I.
in campagna, 2, L., C.l'I.3
in caso di, 3, L., C.l'I.
in città, 2, L., B1
in compagnia di, 5, Q.
in comune, 1, L., D1
in contanti, 9, L., B2
in continuazione, 7, L., B5
in coppia, 0, L., A2
in corso, 7, L., B3
in diminuzione, 5, L., D2
in diretta, 10, L., A1
in discoteca, 1, L., D4
in fondo, 9, L., B3
in forma, 9, Q.
in Francia, 2, L., A1
in fretta, 4, L., D5
in futuro, 5, L., E2
in gamba, 10, L., A1
in genere, 2, L., C.l'I.1
in giro, 7, L., B5
in italiano, 1, L., E2
in lattina, 4, L., D3
in media, 10, L., C.l'I.
in mente, 11, L., A3
in montagna, 2, L., C3
in offerta, 8, L., C3
in ogni caso, 6, L., D1
in palestra, 11, L., B3
in particolare, 3, L., A6
in passato, 9, L., A4
in periferia, 2, L., D1
in piazza, 4, L., C.l'I.
in piedi, 4, L., C.l'I.
in più, 0, L., D1
in pochi minuti, 4, L., C.l'I.
in pratica, 4, L., C.l'I.
in prestito, 10, L., B1
in privato, 10, Q.
in punto, 4, L., A7
in qualche modo, 8, L., E1
in realtà, 7, L., A4
in ritardo, 3, L., C3
in tempo, 4, L., B7

in tutto, 4, L., C1
in tv, 3, L., D1
in vacanza, 1, L., E1
in vetrina, 9, L., B1
in via Verdi, 1, L., C1
incarico, 0, L., App.
incasso, 7, L., C.l'I.
incendio, 3, L., C.l'I.
incertezza, 3, L., D2
incidente, 7, Q./10, L., Autov.
includere, 5, L., C.l'I.
incontrare, 2, Q., Test/4, L., B1
incontro, 1, L., C1
incredibile, 4, L., C.l'I.Gl.
incrocio, 10, L., F1
indagine, 11, L., E4
indeciso, 6, L., C6
indeterminativo, 1, L., B2
indicare, 0, L., App.
indicazione, 8, L., C.l'I.
indicazioni, 10, L., F3
indietro, 7, Q.
indimenticabili, 7, L., C.l'I.
indiretti, 10, L., A6
indirizzo, 6, Q.
individuare, 8, L., A4
indossare, 9, L., C2
infanzia, 3, L., C.l'I.
infatti, 4, L., C.l'I.
infelice, 9, Q.
infine, 2, L., C.l'I.3
infinito, 2, L., C2
influenzato, 11, L., C.l'I.
influenze, 11, L., C.l'I.
informale, 1, L., D2
informare, 8, L., D4
informarsi, 9, L., Autov.
informati, 3, L., C.l'I.
informazioni, 1, L., C1
ingegnere, 3, L., C.l'I.
Inghilterra, 0, L., A5
inglese, 0, L., C5
ingredienti, 6, L., C.l'I.1
ingresso, 11, Q., Test gen.
iniziali, 5, L., A3
inizialmente, 11, L., Autov. gen.
iniziare, 2, Q., 1° test
inizio, 1, L.
innamorare, 7, L., C.l'I.Gl.
innamorarsi (di), 9, L., A1
innamorato cotto, 9, L., A4
inoltre, 2, L., A1
insalata, 6, L., C2
insegna, 4, L., C.l'I.
insegnante, 1, L., A7

insegnare, 10, L., A4
inserire, 1, L., A5
inserti, 10, L., C.l'I.
insieme a, 2, Q./4, L., A4
insieme, 2, L., B3
insistere, 4, L., App.
insomma, 4, L., A1
intanto, 5, Q.
intelligente, 1, L., B2
intenso, 4, L., A1
intenzione, 9, L., G4
Intercity, 1, Q./5, L., B2
interessante, 1, L., B3
interessare, 10, L., A1
interessati, 3, L., C.l'I.
interesse, 7, Q.
interessi, 8, Q., 3° test
internazionale, 7, L., C.l'I.
interno, 5, L., C.l'I.
Interno, 3, L., C.l'I.
intero, 4, L., B3
interpretare, 7, L., C.l'I.
interpretazione, 7, L., E3
interpreti, 7, L., C.l'I.
interregionale, 5, L., C.l'I.
interrompere, 10, L., C.l'I.
interrotta, 7, L., B3
interurbana, 3, L., C.l'I.
intervalli, 10, L., D2
intervento, 3, L., C.l'I.
intervista, 2, L., P.c.2
intervistare, 2, L., A
intimi, 2, L., A1
intorno, 3, L., C1
introdurre, 6, L., C.l'I.
introduttiva, 0, L.
inutile, 9, L., F5
invece, 2, L., A1
invece di, 4, L., C.l'I.
invece sì, 4, L., A1
inventare, 4, L., C3
invenzione, 6, L., C.l'I.
invernali, 4, L., C3
inverno, 3, L., G1
investire, 7, L., Autov.
inviare, 10, L., A9
invitare, 2, L., B2
invito, 2, L., B2
involtini, 6, L., C6
ipermercato, 8, L., E4
ipotesi, 0, L., App.
ipotetico, 5, L., A8
irlandesi, 1, Q.
ironico, 7, L., C.l'I.
irregolari, 0, L., B3

irregolarità, 11, L., A8
irrinunciabile, 4, L., C.l'I.
iscriversi, 9, Q./11, L., B3
isola, 0, L., C8
istruzioni, 6, L., C.l'I.1
Italia, 0, L., A1
italiane, 0, L., A2
italo-americana, 11, Q.
l'altro ieri, 4, L., A7
l'estate scorsa, 4, L., A7
la maggior parte, 8, Q./9, L., C.l'I.
la sera, 2, L., A1
là, 9, L., B3
ladro, 7, L., C.l'I.
lago, 2, L., A1
lamentarsi, 10, L., B2
lampada, 3, L., C1
lana, 9, L., G1
lancette, 2, L., G2
lasagne, 6, L., C2
lasciare, 2, L., C.l'I.Gl.
lasciarsi, 9, L., P.c.3
lati, 10, L., G2
latte, 0, L., E8
lattina, 4, L., D1
lattuga, 8, L., H2
laurea, 5, L., A8
laurearsi, 9, Q.
laureata, 4, L., C1
lavanderia, 6, Q.
lavarsi, 4, L., B2
lavatrice, 8, Q.
lavorare, 0, L., A2
lavorazione, 8, L., C.l'I.
Lavori Pubblici, 3, L., C.l'I.
lavoro, 1, L., P.c.1
le ore piccole, 9, L., A1
legata, 6, L., A6
leggenda, 6, L., C.l'I.
leggendario, 4, L., C.l'I.
leggere, 0, L., C3
leggero, 4, L., C.l'I.
legionario, 10, L., C1
lenti, le, 9, Q.
lento, 6, L., C.l'I.Gl.
lettera, 1, Q./2, L., C.l'I.5
lettera per lettera, 0, L., A4
letteratura, 11, Q., Test gen.
lettere, 0, L., A
Lettere, 1, L., B2
letto, 2, L., C2
lettore, 10, Q., Test
lezione, 1, Q./2, L., A7
lì, 4, L., B3
liberarsi, 9, Q.

libero, 2, L.
libertà, 4, Q.
libreria, 0, L., B4
libro, 0, L., B3
liceo, 6, Q.
limiti, 9, L., C.l'I.
linea, 2, L., C.l'I.2
lingua, 0, L., A5
lingua parlata, 3, L., A4
linguaggio, 10, Q.
linguine, 6, L., C6
liquore, 4, L., C.l'I.
lirica, 11, L., C.l'I.
Lisbona, 5, L., P.c.2
lista, 4, L., B6
listino, 4, L., D1
litigare, 4, Q./6, L., P.c.3
litro, 8, L., A9
livello, 5, L., C.l'I.
locale, 4, L., C.l'I./5, L., C.l'I.
località, 5, L., E1
localizzare, 4, L., Autov.
locandina, 11, L., P.c.1
logico, 10, L., A7
londinese, 9, Q.
Londra, 2, L., E1
lontano, 1, Q., Test/5, L., P.c.3
lontano da, 5, L., P.c.3
lotto, 5, L., C4
luce, 0, L., A5
luglio, 0, L., D7
luminoso, 2, L., D1
lunedì, 2, L., F1
lunga, 0, L., A3
lungo, 1, L., F1
lupi, 6, L., C2
lusso, 9, L., C.l'I.
lussuosi, 5, L., C.l'I.
ma dai!, 2, L., B1
ma, 0, L., C7
macché, 10, L., E2
macchina, 0, L., A5
macchina per il caffè, 4, L., C.l'I.
macchinette, 2, L., C.l'I.1
macellaio, 8, L., Autov.
madre, 2, L., B1
maestri, 6, L., C.l'I.
magari, 3, L., D1
maggio, 0, L., D7
maggiore (maggior), 8, Q./9, L., C.l'I.
magica, 10, L., D1
maglia, 9, L., G1
maglietta, 7, L., B5
maglione, 9, L., C1

magra, 1, L., F2
mai, 1, Q./2, L., F1
maiale, 6, L., C.l'I.Gl.
maialino, 6, L., C6
maionese, 4, Q.
mal di gola, 10, L., E
mal di testa, 0, Q.
malata, 9, Q.
male (mal), 0, Q./4, L., A1
malgrado, 10, L., C.l'I.
mamma, 0, L., E7
manager, 7, L., A1
mancanza, 6, L., C.l'I.
mancare, 1, L., F3
mandare, 3, L., P.c.3
mandare a quel paese, 11, L., A1
mangiare, 1, L., A7
maniche, 9, L., G1
maniera, 8, L., C.l'I.Gl.
mannaggia, 7, L., A1
mano, 0, L., E8
mantenere, 2, L., App.
mappa, 5, L., B6
marca, 8, L., P.c.3
marchi, 8, L., C.l'I.
marciapiede, 4, L., C.l'I.
mare, 2, L., B1
margherita, 0, L., A5
marinara, 6, L., C6
marito, 6, L., B2
marmellata, 8, L., F1
marocchino, 0, L., C4
Marocco, 10, Q.
marrone, 9, L., B2
martedì, 2, L., F1
marzo, 3, L., G1
maschera, 0, L., A5
mascherarsi, 5, L., C.l'I.
maschile, 0, L., B3
maschio, 3, Q./6, L., Autov.
mass media, 10, L., G2
massimo, 6, L., D1
matematica, 4, Q.
matrimonio, 6, Q./7, L., A1
matta, 11, L., A1
mattina, 1, L., D4
maturazione, 8, L., C.l'I.Gl.
mature, 8, L., A7
mazzo, 8, L., F2
me, 1, L., B1
meccanico, 3, L., C3
media, 4, L., D3
Medicina, 1, L., B1
medicinale, 8, L., F2
medico, 0, L., App.

Medioevo, 6, L., C.l'I.
mediterranea, 7, L., C.l'I.
Mediterraneo, 7, L., C.l'I.
meglio, 0, L., D7
mele, 6, L., C6
melodiche, 11, L., C.l'I.
membro, 6, L., B4
meno male, 8, L., E1
meno, 2, L., G1
mensa, 4, L., B1
mensile, 10, Q.
mente, 11, L., A3
mentre, 2, L., C.l'I.1
menù, 4, L., D1
meravigliosa, 11, L., C7
mercato, 8, L., C.l'I.
mercoledì, 2, L., F1
merenda, 6, L., D1
mescolare, 6, L., E1
mese, 2, L., D1
messaggio, 5, Q./10, L., C.l'I
mestolo, 6, L., E2
metà, 6, Q., Test
metallo, 9, Q.
meteo, 5, L., D1
metodi, 8, L., C.l'I.
metri, 10, L., F1
metrò, 1, L., A1
metropolitana, 2, L., C.l'I.1
metterci, 6, L., D1
mettere, 0, L., B4
mettere da parte, 5, Q.
mettere piede, 11, Q., Test gen.
mettersi, 9, Q.
mettersi (a), 9, L., D2
mettersi d'accordo, 9, Q.
mettersi in testa (di), 11, Q., Test gen.
mettersi insieme, 9, L., A4
mezz'ora, 7, L., C1
mezzanotte, 2, L., G1
mezzi, 2, L., C.l'I.
mezzo, 0, L., D6
mezzogiorno, 2, L., G1
mi dà fastidio, 10, L., A4
mi dispiace, 2, L., B1
mi interessa, 10, L., A1
mi piacciono, 6, L., A6
mi raccomando, 6, L., C6
mi serve, 10, L., D5
mi spiace, 8, L., G2
mica, 8, L., D1
microfono, 11, L., E1
miele, 6, L., D1
migliaia, 10, L., C.l'I.

miglioramento, 5, L., D2
migliorare, 5, Q., Test
migliore (miglior), 1, L., F6
milanese, 4, L., C.l'I.
minerale, 4, L., D1
mini, 0, L., C1
Ministeri, 3, L., C.l'I.
ministro, 10, Q./11, L., B4
minuti, 1, L., A1
miopia, 9, Q.
miracoli, 10, L., Autov.
misteri, 9, Q.
misto, 6, L., C6
mite, 8, L., C.l'I.
mittente, 3, L., C.l'I.
mobile, 3, L., C.l'I.Gl.
mobili, 4, Q.
moda, 0, L., A2
modalità, 5, L., C.l'I.
modella, 1, Q.
modello, 0, Q./2, L., G3/3, L., G3
moderati, 5, L., D2
moderni, 0, L., D4
modo, 4, L., C.l'I.
moglie, 3, Q./6, L., B2
molti, 0, L., D2
molto, 1, L., A1
momento, 2, L., C2
monaco, 4, L., C.l'I.Gl.
mondiale, 5, L., C.l'I.
mondo, 3, L., C.l'I.
montagna, 2, L., C3
montatura, 9, Q.
monumenti, 3, Q.
morbide, 9, L., B3
morire, 2, L., App.
mortadella, 8, L., C4
mosso, 5, L., D2
mostra, 2, L., B3
mostrare, 11, Q., 4° test
mostro, 7, L., C.l'I.
motivare, 7, L., D2
motivi, 1, L., C3
moto, 0, L., App.
motorino, 2, L., C.l'I.3
movimento, 4, L., B2
mozzarella, 4, L., D1
mucca, 8, L., C.l'I.
mulino, 8, L., A1
multicolori, 9, L., C.l'I.
muovere, 4, L., App.
muoversi, 9, Q.
Musei Vaticani, 8, L., D3
museo, 0, L., C8
musica, 0, L., A2

musica leggera, 11, L., C.l'I.
musicali, 6, L., A6
musicisti, 11, L., C.l'I.
napoletana, 1, Q./6, L., C6
nascere, 4, L., B2
nascita, 3, L., G3
nascondere, 4, L., App.
nascoste, 1, L., Autov.
naso, 1, L., F1
Natale, 5, L., P.c.3
natura, 2, L., A1
naturale, 6, L., C6
naturalmente, 5, L., E1
nave, 5, L., E1
nazionale, 5, L., C.l'I./2, L., A1
nazione, 10, L., C.l'I.
nazisti, 7, L., C.l'I.
ne, 2, L., B1
ne vale la pena, 2, L., D1
né, 7, Q.
nebbia, 5, L., D2
necessario, 2, Q., Test/3, L., A1
necessità, 5, L., C.l'I.
negativo, 10, L., D6
negoziante, 8, L., H2
negozio, 2, L., C.l'I.Gl.
nemico, 7, L., C.l'I.
nemmeno, 5, L., D1
neorealismo, 7, L., C.l'I.
neppure, 7, L., C1
neri, 1, L., F3
nervoso, 7, L., B3
nessuna, 1, Q./3, L., F1
neve, 5, L., D2
nevicare, 5, L., D3
niente, 1, Q., Test/3, L., F1
nipote, 6, L., B2
nipotino, 6, L., B2
no, 0, L., E2
nobilissimo, 8, L., C.l'I.
nome, 0, L., E6
non, 1, L., A1
non c'è di che, 3, L., F2
non c'è male, 4, L., A1
non fa niente, 8, L., E1
non importa, 8, L., A1
non vedente, 11, L., C.l'I.
non vedere l'ora (di), 7, Q.
nonna, 0, L., E7
nonno, 6, L., B3
nonostante, 7, Q., Test
Nord, 3, Q./5, L., D2
normale, 7, Q.
nota, 0, L., D4
notare, 0, L., B1

note, 0, L., E8
notizia, 1, L., P.c.2
notiziario, 10, L., C4
noto, 5, L., C.l'I.
notte, 0, L., B4
novembre, 3, L., G1
novità, 3, Q.
numerate, 0, L., A2
numeri, 0, L., D3
numerosissimi, 11, L., C.l'I.
nuoto, 11, L., B3
nuova, 0, L., B5
nuovamente, 5, L., P.c.3
nutritiva, 6, L., C.l'I.
nutrizionale, 8, L., C.l'I.
nuvola, 5, L., D1
nuvolosità, 5, L., D2
nuvoloso, 5, L., D1
o, 0, L., B
o domenica o mai, 2, L., F1
obbligo, 0, L., App.
occasione, 6, L., E3
occhi, 1, L., B1
occhiali, 6, Q./7, L., B1
occhiali da sole, 7, Q./9, L., C1
occhiata, 11, L., B1
occhietti, 8, Q., Test
occuparsi (di), 9, L., D4
occupata, 7, L., C.l'I.
oceano, 7, L., C.l'I.
offendere, 4, L., App.
offendersi, 9, Q.
offerta, 5, L., A1
offerti, 5, L., C.l'I.
offeso, 11, L., C2
offrire, 1, L., A6
oggetto, 0, L., E7
oggi, 1, L., A7
ogni, 0, L., C1
ogni giorno, 1, L., A1
ognuno, 4, L., D3
Olanda, 3, L., A5
olimpici, 4, L., C3
olio, 6, L., C.l'I.1
olive, 6, L., C4
oltre, 5, L., C.l'I./10, L., C1
ombelico, 11, L., C.l'I.
ombrello, 5, L., Autov.
oneste, 11, Q., Test gen.
opera, 0, L., A2/7, L., C.l'I.Gl.
opportunità, 10, L., A9
opportuno, 7, Q./9, L., G1
opposizione, 3, L., C.l'I.
oppure, 1, L., E2
ora, 1, L., A1/4, L., B3

ora di pranzo, 4, L., C.l'I.
orali, 4, L., A7
oralmente, 0, L., C4
orario, 1, L., P.c.2
orario d'ufficio, 1, L., A1
ordinare, 4, L., D4
ordinazioni, 6, L., C6
ordine, 0, L., D4
orecchini, 8, L., D1
oretta, 3, Q./8, L., E7
organi, 10, L., C.l'I.
organizzare, 2, L., D1
organizzazione, 9, L., C.l'I.Gl.
orgoglioso, 11, L., C1
originale, 7, L., B6
origine, 0, L., A3
origini, 6, L., C.l'I.
orizzontale, 2, L., Autov.
ormai, 6, Q./8, L., C2
oro, 8, L., A1
oro lavorato, 9, L., C.l'I.
orologio, 1, Q./2, L., G1
ortopedico, 11, L., B3
ospedale, 2, L., C2
ospitali, 4, L., C.l'I.
ospitare, 4, L., C3
ospiti, 7, L., A7
osservare, 0, L., A1
osterie, 6, L., C.l'I.
ottenere, 6, L., C.l'I.Gl.
ottima, 2, L., B2
ottimista, 9, L., F4
ottobre, 2, L., E1
ovvero, 10, L., C.l'I.
ovviamente, 2, L., C.l'I.3
pacchetto, 0, L., A5
pacco, 3, L., P.c.3
padre, 4, Q/6, L., A4
paese, 2, L., C.l'I.4/7, L., C.l'I.
pagamento, 4, L., C.l'I.Gl.
pagare, 0, L., A6
pagina, 0, L., A5
paio, 8, L., C3
palazzo, 1, L., B2
palcoscenico, 11, L., C.l'I.
palestra, 1, L., D3
palio, 5, L., C.l'I.
pancetta, 6, L., C.l'I.1
pancia, 6, L., C.l'I.Gl.
pandoro, 5, L., C.l'I.
pane, 6, L., D2
panetteria, 8, L., F2
panettone, 5, L., E1
panino, 0, L., D3
paninoteca, 6, L., C.l'I.

panna, 4, L., D3
pannacotta, 4, L., D3
panorama, 0, L., App.
pantaloni, 9, L., C1
papà, 6, L., B2
parabolica, 10, L., C5
paradiso, 7, L., C.l'I.
parcheggiare, 3, Q., Test/8, L., E7
parcheggio, 2, L., C.l'I.3
parco, 5, Q., 2° test
parecchie, 6, L., C.l'I.
parentela, 6, L., B1
parentesi, 9, L., A8
parenti, 5, L., E1
parere, 6, L., C6
parere, 10, L., B1
parete, 3, L., C1
pari a, 4, L., C.l'I.
Parigi, 1, Q./2, L., A1
parlare, 1, L., P.c.3
parmigiano, 6, L., C.l'I.1
parodia, 7, L., C.l'I.
parole, 0, L., A
parrucchiere, 10, Q.
parte, 1, L., P. c. 3
partecipare, 10, L., D4
partenza, 5, L., C.l'I.
participio passato, 4, L., A5
particolari, 0, L., B3
particolarità, 2, L., A6
particolarmente, 5, L., C.l'I.Gl.
partire, 1, L., A6
partita, 1, L., B4
partiti, 10, L., C.l'I.
partitivo, 3, L., A7
Pasqua, 5, L., E1
passante, 11, L., B2
passaporti, 6, Q./8, L., G2
passare, 2, L.
passatempi, 10, L., C.l'I.
passeggeri, 2, L., C.l'I.1
passeggiare, 4, L., C.l'I.
passeggiata, 4, Q., Test
passi, 11, L., Autov.
passione, 4, L., C.l'I.
pasta, 6, L., C2
pasticceria, 8, L., F2
pasto, 4, L., C.l'I.
patate, 8, L., H2
patente, 6, Q./11, L., B4
patria, 10, L., F3
patrimonio, 8, L., C.l'I.
paura, 5, Q./7, L., C.l'I.
pausa, 6, L., D1
pausa pranzo, 6, L., D1

pazienza, 9, L., E2
peccato, 7, L., A1
pecorino, 8, L., C.l'I.
peggio, 11, L., C2
pelle, 9, L., B2
pelliccia, 9, L., G1
pena, 2, L., D1
pendente, 3, Q./7, L., B5
penisola, 5, L., D2
penna, 0, L., E8
penne, 6, L., C6
pensare, 2, L., B1
pensieri, 9, Q.
pentola, 6, L., E2
pentola a pressione, 6, L., E2
penultima, 0, L., App.
pepe, 6, L., C8
per, 0, L., A1
per caso, 4, Q., Test/8, L., E4
per cena, 7, L., C5
per colpa di un esame, 7, Q.
per esempio, 1, L., C.l'I.
per favore, 2, L., C2
per fortuna, 2, L., C.l'I.3
per forza, 8, L., A1
per le vacanze, 5, L., A6
per mancanza di tempo, 6, L., C.l'I.
per motivi di lavoro, 1, L., C3
per niente, 6, Q./7, L., A4
per ore, 9, L., A1
per paura del traffico, 11, L., B1
per piacere, 11, L., B2
per prima cosa, 4, L., B4
per quanto riguarda, 10, Q.
per strada, 8, L., A7
per telefono, 5, L., C.l'I.
percentuale, 3, L., C.l'I.
perché, 1, L., P.c.1
perché no?, 2, L., B2
perciò, 3, L., E2
perdere, 4, L., B6
perdere la testa, 6, L., A6
perdersi, 9, Q.
perdonare, 11, Q.
perfetto, 3, L., A1
pericolo, 3, L., C.l'I.
pericolose, 11, Q., 4° test
periferia, 2, L., D1
perifrasi, 0, L., App.
periodo, 5, L., E1
periodo ipotetico, 5, L., A8
permesso, 6, L., A1
permesso di soggiorno, 8, L., G2
permettere, 1, L., E1

permettersi, 9, L., C.l'I.
però, 3, L., E2/5, L., A1
persona, 1, L., E2
personaggio, 7, L., D2
personale, 1, L., A5/5, L., C.l'I.
persone, 0, L., App.
pesante, 1, L., B3
pescare, 2, L., A1
pesce, 2, L., B4
pescivendolo, 8, L., F2
pessimista, 0, L., App.
pettinarsi, 9, Q.
pezzo, 0, L., D6
piacere, 0, L., C2
piacere, 1, Q./2, L., App.
piacevole, 4, L., C.l'I.
pian piano, 9, L., C.l'I.
piangere, 4, L., B2
pianista, 7, L., C.l'I.
piano, 2, L., D1/9, L., C.l'I.
pianoforte, 11, L., E2
pianta, 3, L., C1
pianura, 8, L., C.l'I.
piatti, 5, Q./6, L., C1
piazza, 3, L., Autov.
piccanti, 6, L., C4
piccoli, 0, L., D4
piena, 4, L., C.l'I.
pillole, 8, L., E6
pioggia, 0, L., E8
piovere, 5, L., A8
pirateria, 11, Q., Test
piscina, 9, Q.
pittore, 6, Q.
più, 1, L., P.c.1/1, L., A1
più che altro, 4, L., C.l'I.
più o meno, 4, L., E2
più tardi, 3, L., D1
più volte, 10, L., A8
piuttosto, 5, L., C.l'I./8, Q.
pizza, 0, L., D6
pizzaiolo, 6, L., C.l'I.
pizzerie, 6, L., C.l'I.
plurale, 0, L., B3
pneumatico, 0, L., App.
poche, 2, L., C.l'I.1
pochino, 10, Q.
pochissimo, 4, L., C.l'I.
poco, 1, Q./2, L., A1
poesie, 11, L., C.l'I.
poeta, 7, L., C.l'I.
poi, 1, L., A4
poiché, 11, L., C.l'I.
polemiche, 9, L., C.l'I.
politiche, 8, L., C.l'I.

salita, 5, L., C.l'I.Gl.
salmone, 6, L., C6
salone, 3, Q.
salotto, 2, L., D2
saltare, 6, L., D1
salutare, 1, L., D2
saluti, 1, L., D4
salve, 1, L., D2
sanitaria, 3, L., C.l'I.
sano, 10, L., D1
sapere, 0, L., E2
sapore, 0, L., App.
saporito, 6, L., C2
saracino, 5, L., C.l'I.
satellitare, 10, L., C2
sbagliare, 2, L., C1
sbagliato, 8, L., Autov.
sbattere, 6, L., C.l'I.1
sbrigarsi, 9, L., A9
scadere, 8, Q.
Scala, 2, L., B1
scaloppine, 6, L., C6
scambiarsi, 4, L., C3
scandalo, 11, L., B4
scaricare, 11, Q., Test
scarpe, 8, L., D1
scatoletta, 8, L., F1
scegliere, 0, Q., Test/2, L., App.
scelta, 4, L., B2
scendere, 0, L., C8
scene, 7, L., A4
scheda telefonica, 3, L., C.l'I.
schema, 0, L., C7
schermo, 7, L., C.l'I.
scherzare, 4, L., C.l'I.
scherzo, 5, L., E1
schifo, 10, L., C1
schiuma, 4, L., C.l'I.
sciare, 5, Q./10, L., A6
sciarpa, 9, L., G1
sciopero, 3, L., C3
scolare, 6, L., C.l'I.1
scomparire, 7, L., C.l'I.
scompartimento, 5, L., E1
sconto, 4, L., Autov.
scontrino, 4, L., C.l'I.
scoperta, 3, L., G3
scoppiare, 7, L., Autov.
scoprire, 0, L., B2
scorsa, 4, L., A7
scortese, 1, L., F3
scritta, 4, L., C.l'I.Gl.
scritto, 4, L., B1
scrittore, 4, Q./8, L., C.l'I.
scrivania, 3, L., C1

scrivere, 0, L., A6
scuola, 0, L., A5
scusa, 1, L., C1/4, L., D5
scusarsi, 10, Q.
scusi, 0, L., D2
se, 1, L., A1
se stessa, 9, L., A6
sé, 7, L., C.l'I.Gl.
secca, 6, L., C.l'I.
secolo, 6, L., C.l'I.Gl.
secondo, L., P.c.3/6, L., C2
sede, 10, L., C.l'I.
sedere, 2, L., App.
sedersi, 4, L., C.l'I.
sedie, 3, L., C1
segnare, 2, L., F1
segretaria, 7, Q.
segreteria telefonica, 5, Q.
segreto, 7, L., P.c.2
seguenti, 0, Q./1, L., D3
seguire, 0, L., B5
seguito, 11, L., P.c.3
sembrare, 1, L., F3
semplicemente, 4, L., C.l'I.
semplici, 3, L., A6
sempre, 2, L., A1
senso, 11, L., A1
sentimentale, 11, Q.
sentire, 1, L., A1
sentirsi, 9, L., A1
sentirsi male, 9, L., A9
senza, 1, L., F5
separarsi, 11, Q.
sera, 2, L., A1
serata, 1, L., D4
serenata, 11, L., C.l'I.
serenità, 8, Q., Test
sereno, 5, L., D2
seriamente, 9, L., D2
serie, 0, L., App./2, L., F1
servire, 4, L., B2
servizi, 2, L., C.l'I.3/10, L., C5
servizio, 10, Q.
seta, 9, L., B2
sete, 4, L., D4
settembre, 3, L., G1
settimana, 0, L., E7
settimana bianca, 5, L., C1
settimanale, 10, L., C.l'I.
settore, 8, L., C.l'I.
sezione, 4, L., C3
sfilate, 9, L., C.l'I.
sfortunati, 11, L., C3
sfruttare, 10, L., A1
si forma, 4, L., A5

sì, 0, L., C2
sia, 4, L., B2
siccome, 6, L., D1
siciliana, 6, L., C6
sicuramente, 5, Q./7, L., D1
sicuro, 3, L., B1
Siena, 2, L., E1
sigla, 3, L., C.l'I.
significare, 5, Q./9, L., C.l'I.
significato, 3, L., A7
signora, 1, L., D2
signore (signor), 1, L., D2
signorina, 1, L., E3
silenzio, 10, Q.
sillaba, 0, L., App.
simbolo, 4, L., C.l'I.
simile, 1, L., E2
simpatia, 8, Q.
simpatici, 1, L., A1
sincero, 10, L., A10
singola, 11, Q., Test gen.
singolare, 0, L., A5
sinistra, 2, L., C2
sinonimi, 9, L., C2
sintesi, 0, L., App.
sistema, 8, L., C.l'I.
sito, 5, L., A1
situata, 4, L., C.l'I.Gl.
situazioni, 1, L., D3
smettere (di), 5, L., A6
soccorso, 3, L., C.l'I.
sociali, 10, L., P.c.3
società, 7, Q., Test/9, L., C.l'I.
soddisfare, 10, L., C.l'I.
soddisfatti, 1, L., Autov.
soffrire, 4, L., B6
soggetto, 9, L., F1
soggiorno, 2, L., D2/8, L., G2
sognare, 3, L., G3
sogni, 10, L., D4
solamente, 10, L., A1
soldi, 3, Q./8, L., E6
sole, 3, Q./4, L., C.l'I.
solite, 4, L., A1
solitudine, 11, L., C.l'I.
solo, 1, L., B2
soltanto, 5, Q., 2° test
soluzioni, 1, L., Autov.
somiglianze, 3, L., C.l'I.
somma, 7, L., C.l'I.Gl.
sopra, 3, L., C1
soprattutto, 4, L., C.l'I.
sorella, 0, L., C7
sorellina, 6, L., B2
sorpresa, 5, L., A1/6, L., A3

tecnico, 11, Q., Test gen.
tecnologie, 3, L., C.l'I.
tedesco, 1, Q.
tegame, 6, L., E2
telecomando, 10, L., C5
telecomunicazioni, 3, L., C.l'I.
telefonare, 1, L., A1
telefonata, 9, L., A3
telefonia, 3, L., C.l'I.
telefonici, 3, L., C.l'I.
telefonino, 3, L., C.l'I.
telefono, 1, Q./3, L., P.c.3
telegiornale, 8, Q./10, L., C1
telegramma, 10, L., A9
telegramma, 0, L., App.
telespettatori, 10, L., A1
televendita, 10, L., C.l'I.
televisione, 1, L., A7
televisivo, 7, L., C.l'I.
televisore, 3, L., C1
tema, 0, L., App.
tematiche, 10, L., P.c.3
temperatura, 3, Q./5, L., D2
tempo, 1, L., A1/2, L.
temporali, 5, L., D2
tenere, 8, L., C.l'I.
tenere, 2, L., App.
tenersi, 11, L., E4
tenore, 11, L., C.l'I.
tentativo, 11, L., A4
teorie, 6, L., C.l'I.
terme, 11, Q., Test gen.
terminare, 0, L., App.
termini, 3, L., C.l'I.
terra, 0, L., E7
terrestre, 10, L., C.l'I.
territorio, 5, L., C.l'I.
terzo mondo, 11, L., P.c.1
terzultima, 0, L., App.
tesi, 0, L., App.
tesoro, 0, L., E2
tessuto, 9, L., B3
test, 0, L., E8
testa, 0, Q./1, L., F4
testate, 10, L., C.l'I.
testimoni, 11, L., B4
testo, 1, L., B2
tigre, 7, L., C.l'I.
timbrare, 2, L., C.l'I.1
timido, 7, L., B5
tipici, 4, L., C.l'I.
tipo, 1, L., A7
tiramisù, 4, L., D3
tirare, 5, L., D1
toccare, 5, Q.

togliere, 2, L., App.
tonnellate, 4, L., C.l'I.
tonno, 4, Q./8, L., F1
tornare, 1, L., A1
torre, 0, L., E8
torta, 4, L., D3
tortellini, 6, L., C4
torto, 9, L., D2
totocalcio, 6, Q./8, L., B4
tournée, 2, L., A1
tovaglia, 6, L., C1
tovagliolo, 6, L., C1
tra, 1, L., C1
tra le poltrone, 3, L., C1
tradire, 10, L., D7
tradizionale, 5, L., E1
tradizione, 8, L., C.l'I.
tradurre, 2, L., App.
traduzione, 8, L., E1
traffico, 2, L., C.l'I.3
tragedia, 7, L., C1
trama, 7, L., P.c.3
tramezzino, 4, L., D1
tramite, 9, L., C.l'I.
tranquillità, 8, Q., Test
tranquillo, 4, L., P.c.3
trapassato prossimo, 7, L., C4
trarre, 2, L., App.
trascorrere, 5, L., P.c.1
trascorso, 4, L., E3
trasformare, 1, Q./9, L., F4
trasformarsi, 11, L., C.l'I.
trasmissione, 10, L., P.c.3
trasporto, 2, L., C.l'I.
trattare, 8, L., A1
trattarsi (di), 4, L., C.l'I.
trattorie, 6, L., C.l'I.
traversa, 10, L., F1
tremendo, 3, L., C3
treno, 0, L., B4
trentina, 8, Q.
tricolore, 6, L., C.l'I.
trio, 7, L., C.l'I.
trionfare, 4, L., C3
triste, 1, L., F3
troppe, 3, L., C3
troppo, 11, L., A1
trovare, 2, L., C.l'I.3
trovarsi, 2, L., C.l'I.1
tubetto, 8, L., F1
turco, 7, L., C.l'I.
turista, 0, L., App.
turno, 1, L., F5/5, L., C1
tutelare, 8, L., C.l'I.
tutti, 1, Q./3, L., C.l'I.

tutti e due, 4, L., P.c.3
tutto, 1, L., A4
uccidere, 4, L., App.
uffa, 3, L., A1
ufficiale, 10, L., C.l'I.
ufficio, 1, L., A1
ufficio postale, 3, L., B3
uguale, 10, L., C6
ultima, 0, L., B3
ultimamente, 4, L., B2
ultimo dell'anno, 5, L., A1
umidi, 8, L., C.l'I.
umore, 8, L., D1
un bel niente, 5, Q.
un bel po', 5, L., A1
un granché, 7, L., C1
un po', 2, L., A1
ungherese, 0, L., C5
Ungheria, 0, L., A5
unica, 8, L., D1
unione, 6, Q./8, L., C.l'I.
Unione Europea, 6, Q./8, L., C.l'I.
unire, 1, L., A6
unità, 0, L./5, L., C.l'I.
università, 0, L., App.
uomo, 1, L., B1
uova, 4, Q./5, L., C.l'I.
urbano, 2, L., C.l'I.
urlare, 10, L., D5
usare, 0, L.S, App.
usati, 2, L., C.l'I.1/8, L., C.l'I.
uscire, 0, L., C8
uscita, 0, L., C7
uso, 2, L., C.l'I.Gl.
utensili, 6, L., E2
utili, 3, L., C.l'I.
utilizzare, 3, L., C.l'I.
utilizzato, 8, L., C.l'I.
uva, 8, L., H2
va be', 8, L., A1
va bene, 5, L., A8
vacanze, 0, L., D7
vacanze studio, 10, L., E2
valere, 2, L., D1
valige, 5, L., E1
valutare, 9, Q., Test
vantaggi, 5, L., C.l'I.
vari, 2, L., F2
variabile, 5, L., D2
varietà, 6, L., C.l'I./10, L., C4
vasetto, 8, L., F1
vaso, 3, L., C4
vecchietta, 5, L., C.l'I.
vecchio, 1, L., F3
vedere, 2, L., A6

velocemente, 4, Q.
veloci, 5, L., C.l'I.
velocità, 4, L., C.l'I.
vendere, 2, L., C.l'I.Gl.
vendite, 7, L., C.l'I.Gl.
venerdì, 2, L., B1
veneziana, 5, Q., Test
venire, 2, L., A1
ventina, 5, Q.
vento, 5, L., D1
veramente, 2, L., C.l'I.3
verbale, 8, L., D4
verbo, 0, L., C3
verdi, 1, L., B1
verdure, 6, L., C2
vere, 1, L., A1
vergine, 5, L., C.l'I.
verificare, 0, L., E2
verità, 2, L., A1
versi, 11, L., C.l'I.
verso, 1, L., D4
verticale, 2, L., Autov.
vestire, 9, L., A6
vestirsi, 9, L., A6
vestito, 0, L., C8
vetrina, 9, L., B1

via, 1, L., C1/3, L., C.l'I.
viabilità, 3, L., C.l'I.
viaggi, 1, L., A1
viaggiare, 2, L., C.l'I.Gl.
viaggio di lavoro, 6, L., E4
viaggio di piacere, 5, Q.
vicine, 5, L., C.l'I.
vicini, 3, Q./6, L., A6
vicino, 1, L., A4
videogiochi, 2, L., P.c.1
vigile urbano, 9, Q.
vigili del fuoco, 3, L., C.l'I.
vignette, 7, L., B6
villa, 1, Q., Test/3, L., G3
vincere, 2, L., C1
vino, 2, Q., 1° test/6, L., C4
virtù, 0, L., App.
viscosa, 9, L., B2
visita, 6, Q.
visitare, 1, L., E1
viso, 1, L., B3
vista, 9, Q.
visto che, 10, Q.
vita, 2, L., A1
vitamine, 8, L., Autov.
vitello, 6, L., C2

vivaci, 9, L., C.l'I.
vivamente, 8, L., A7
vivere, 1, Q./4, L., B6
vivo, 11, L., E4
vocabolario, 3, L., G
voce, 11, L., B2
voglia, 2, L., A1
volare, 11, L., E2
volentieri, 2, L., B1
volerci, 6, L., D1
volere, 2, L., B1
volere bene, 10, Q.
volgere, 4, Q.
volo, 5, Q.
volte, 1, L., A1
volti, 7, L., C.l'I.
volume, 8, Q.
vuoto, 8, L., E4
zabaione, 4, L., D3
zaino, 0, L., D3
zapping, 10, L., A1
zia, 0, L., D3
zio, 0, L., D2
zona, 6, L., C2
zucchero, 3, L., A7
Zurigo, 5, L., P.c.2